LES GROUPES D'ENTRAIDE

pour les personnes touchées par le cancer

MODE D'EMPLOI

	DATE DUE	

PAT KELLY

LES GROUPES D'ENTRAIDE

pour les personnes touchées par le cancer

MODE D'EMPLOI

TRADUIT PAR CLAIRE DUPOND

Guy Saint-Jean
ÉDITEUR

À mes filles, Kate et Kelly, qui m'ont appris la compassion,
à Hugh qui m'a appris la grâce et le courage,
à tous les membres de nos ateliers, qui ont créé
la communauté de l'empathie.

Toutes les redevances provenant de la vente de ce livre seront remises
à des groupes d'entraide pour les personnes atteintes de cancer.

Données de catalogage avant publication (Canada)
Disponibles à la Bibliothèque nationale du Québec

Nous reconnaissons l'aide financière du gouvernement du Canada par l'entremise du Programme d'Aide au Développement de l'Industrie de l'Édition (PADIÉ) ainsi que celle de la SODEC pour nos activités d'édition.

Gouvernement du Québec – Programme de crédit d'impôt pour l'édition de livres – Gestion SODEC.

Dépôt légal 2e trimestre 2001
Bibliothèques nationales du Québec et du Canada
ISBN 2-89455-106-1

Distribution et diffusion
Amérique : Prologue
France : E.D.I./Sodis
Belgique : Diffusion Vander S.A.
Suisse : Transat S.A.

GUY SAINT-JEAN ÉDITEUR INC.,
3172, boul. Industriel, Laval (Québec) Canada H7L 4P7. (450) 663-1777.
Courriel : saint-jean.editeur@qc.aira.com. Web : www.saint-jeanediteur.com

GUY SAINT-JEAN ÉDITEUR FRANCE,
48, rue des Ponts, 78290 Croissy-sur-Seine, France. (1) 39.76.99.43.
Courriel : lass@club-internet.fr

Imprimé et relié au Canada

Pharmacia & Upjohn

5100 Spectrum Way

Mississauga, Ont.

Canada L4W 5J5

Aux lecteurs et lectrices,

Pharmacia & Upjohn admire la vaillance et le courage dont font preuve les patientes et patients canadiens, leurs familles et leurs amis dans leur lutte contre le cancer. En tant que société riche d'une longue tradition dans la recherche et la mise au point de traitements anticancéreux, nous avons appris que les patients et ceux qui les soutiennent ont besoin de bien plus que des médicaments efficaces pour lutter victorieusement contre la maladie. Ce manuel fort précieux est une importante contribution et nous tenons à remercier le Comité consultatif pour son travail acharné et pour ses commentaires. Nous espérons que les lecteurs et les lectrices pourront en tirer profit.

David J. Martin
président
Pharmacia & Upjohn Canada

REMERCIEMENTS

Fidèle à l'esprit d'entraide, ce manuel résulte de l'effort commun d'un petit groupe de personnes concernées. Les informations qu'il contient proviennent de multiples sources, notamment les expériences vécues par des personnes engagées dans des groupes de lutte contre le cancer, la documentation portant sur les groupes d'entraide, les études publiées sur les groupes de soutien et d'entraide ainsi que l'expertise des membres du Comité consultatif, créé justement pour cet ouvrage. Nous avons indiqué la source originale du matériel utilisé chaque fois que nous l'avons pu.

Fort de l'appui de son commanditaire, la société Pharmacia et Upjohn Canada, le Comité consultatif a pu se consacrer à la préparation et à la publication de ce manuel et en assurer la diffusion auprès des groupes de lutte contre le cancer.

Nous tenons à remercier les personnes dont les noms suivent et qui nous ont généreusement consacré temps et efforts afin que ce livre devienne une réalité :

Dre Juanne Nancarrow Clarke, professeure de sociologie médicale, Wilfrid Laurier University, Waterloo, Ontario ;

Dr Alastair Cunningham, codirecteur du département de médecine clinique, Wellspring Cancer Resource Centre, Princess Margaret Hospital, Toronto, Ontario ;

Maureen O'Connor, fondatrice, Wellwood Cancer Resource Centre, Hamilton, Ontario ;

Mirdula Sood, coordonnatrice des programmes, Bayview Support Network, Toronto, Ontario ;

Dr Simon Sutcliffe, vice-président, British Columbia Cancer Agency, Vancouver, Colombie-Britannique.

Nous voulons également exprimer notre gratitude aux cadres de Pharmacia et Upjohn Canada qui ont contribué à la réussite du projet par leur soutien personnel et leurs encouragements, soit :

Paul McCabe, directeur administratif, oncologie/VIH ;

Laurie Aziz, directrice des produits, oncologie ;

Tim Turnbull, directeur, affaires de l'entreprise.

TABLE DES MATIÈRES

INTRODUCTION

On estime que 130 000 nouveaux cas de cancer sont diagnostiqués chaque année, au Canada[1]. À l'annonce de ce diagnostic, les personnes touchées éprouvent souvent des sentiments d'angoisse et de solitude. Bon nombre des patients frappés par cette maladie ont trouvé empathie, appui et informations auprès des groupes d'entraide pour les personnes atteintes de cancer et pour celles qui se sont rétablies, et ont appris à transformer la solitude et l'angoisse qui accompagnent le diagnostic en un parcours vers l'espoir et le rétablissement. Le nombre sans cesse croissant de groupes d'entraide témoigne éloquemment de leur succès. Si, en 1987, on n'en comptait que quelques-uns au Canada, ils sont, aujourd'hui, des centaines, répartis à travers tout le pays.

> *Ce qu'il y a de merveilleux avec un groupe d'entraide, c'est qu'il n'y a rien à expliquer. Bien des personnes atteintes de cancer s'efforcent de protéger leur famille et leurs amis contre ce qu'elles traversent. Elles vont même jusqu'à leur cacher la peur ou la colère qu'elles ressentent. Dans un groupe d'entraide, on n'a pas à épargner les autres. Ils sont là pour nous soutenir.*

Il n'est pas toujours facile de fonder et de maintenir un groupe efficace. Ce manuel — écrit par et pour des personnes vivant avec le cancer, en collaboration avec des chercheurs et d'autres spécialistes — met en lumière quelques-unes des stratégies conçues par les personnes qui se sont rétablies ainsi que les capacités qu'elles ont acquises afin de faire face aux défis qu'impliquent la création d'un groupe d'entraide et le fait d'y travailler.

Ce manuel a été élaboré à partir des leçons apprises auprès de personnes atteintes qui ont organisé des groupes et y ont participé à titre de membres ; nous citerons d'ailleurs des extraits de leurs expériences respectives pour illustrer divers points dans le corps du texte.

POURQUOI CE MANUEL

Ce manuel a pour but de prodiguer des encouragements et de suggérer des conseils aux personnes qui :

- veulent fonder un groupe d'entraide pour les personnes atteintes de cancer ;
- sont membres d'un groupe dûment constitué ;
- envisagent d'animer un groupe ;
- se débattent avec des problèmes au sein de leur groupe.

On attend énormément des groupes d'entraide au chapitre des services, lesquels doivent être fournis au bon moment et avec efficacité — une tâche qui exige une solide connaissance des capacités du groupe. Simultanément, les groupes ont besoin de rester en contact avec leur nature simple, basique. Ce manuel s'appuie sur l'expertise des patients, des personnes rétablies, des chercheurs et des fondateurs de groupe pour enseigner les compétences collectives qui répondront le mieux aux besoins très particuliers des personnes touchées par le cancer.

Il importe, d'entrée de jeu, de bien comprendre la nature fondamentale de l'entraide. On n'aide pas *pour* les autres. On le fait *avec* les autres, *pour* soi-même, en partant du principe qu'aider les autres donne un sens à sa propre vie. Autrement dit, l'entraide est une façon d'aider à la fois soi-même et les autres, en étant attentif à la souffrance causée par le cancer. Quand nous voyons notre propre peur se refléter dans le regard d'une personne qui vient d'apprendre le diagnostic, nous nous rappelons combien nous trouvions important non seulement d'en apprendre davantage sur la maladie et sur les traitements, mais aussi d'avoir quelqu'un avec qui en parler. Quand nous constatons que le soulagement et l'espoir commencent à rendre son énergie à cette personne, nous nous sentons récompensés. Tel est l'esprit de l'entraide : en aidant les autres, nous nous aidons nous-mêmes.

Nous sommes tous interdépendants. Que nous en soyons conscients ou non, chacun de nous est éternellement un débiteur.

Martin Luther King, Jr.

Ne fermez pas vos yeux devant la souffrance. Trouvez des façons d'être solidaire de ceux qui souffrent. Ce faisant, vous vous éveillerez, vous et les autres, à la réalité de la souffrance dans le monde.

Gautama Bouddha

Voici quelques « paroles de sagesse » destinées aux personnes qui entreprennent de créer ou de seconder un groupe d'entraide pour les personnes atteintes de cancer :

- pensez « partage » dès le début et tournez-vous vers ceux et celles qui partagent votre façon de voir ;
- prenez des risques et soyez indulgent envers vos erreurs et celles des autres ;
- n'oubliez jamais que notre contribution la plus importante est la qualité de notre attention.

Enfin et surtout, rappelez-vous qu'il y a plus d'une *bonne* façon d'y parvenir. Ce manuel se veut un guide ; il ne prescrit rien. Vous n'êtes nullement tenu de suivre intégralement ce qui est décrit ici. Quand vous allez au supermarché, vous ne videz pas les étagères. Prenez ce dont vous avez besoin et laissez le reste. Vous pourrez toujours revenir s'il vous faut autre chose.

Nous avons essayé de combiner l'« art » de vivre avec le cancer et la « science » de l'organisation d'un groupe efficace, afin de dresser la carte d'un voyage qui, nous l'espérons, vous éclairera — à la fois intellectuellement et spirituellement.

L'esprit d'entraide : la solidarité, une voie vers le rétablissement[2]

1

Pratiquement tous les membres des groupes avec qui nous avons discuté en vue de la rédaction de ce manuel nous ont parlé des terribles sentiments de solitude, de peur et d'impuissance qui les envahissent à l'annonce du diagnostic d'un cancer. Elles ont mentionné, à de nombreuses reprises, le besoin d'obtenir des informations et celui de rencontrer d'autres personnes qui vivent avec cette maladie — parce que celles qui se sont rétablies sont un symbole d'espoir[3].

Il existe un lien particulier entre les patients atteints de cancer. L'un des recherchistes[4] l'a expliqué en ces termes :

> On aurait dit qu'il existait une sorte de lien qui se passait de mots et qui se formait avec une instantanéité et une intensité surprenantes. Cette entente immédiate a été ressentie comme un phénomène unique par bon nombre des personnes à qui nous avons parlé.

Dans tous les groupes d'entraide, les personnes rétablies ont insisté sur l'importance de faire partie d'un groupe où l'on n'a pas à expliquer ce qu'on vit — où tout le monde vit avec le cancer.

Les personnes qui ont le cancer et font partie d'un groupe se servent d'anecdotes pour se rapprocher des autres d'une façon à la fois intime et immédiate. Ces récits nous aident à surmonter la solitude et à reprendre notre vie en main.

> C'était fantastique comme expérience ! Je me rappelle seulement que je venais là pour la première fois et que j'étais, vous savez, plutôt nerveuse, parce que j'ignorais ce qui allait se passer pendant la réunion. Mais je me souviens d'être rentrée en voiture à la maison avec maman et de m'être sentie au septième ciel, car j'étais entrée dans cette salle et j'avais rencontré des inconnus, des gens que je ne connaissais pas, mais nous avions tous cette chose en commun !
>
> Lauren, diagnostiquée leucémique à 17 ans.

Les personnes rétablies disposent de tout un lot d'anecdotes pour expliquer à quoi ressemble la vie quand on a le cancer. L'un de ces récits établit un parallèle entre cette maladie et le fait d'avoir combattu au Viêtnam.

À mon retour du Viêtnam, j'avais l'impression que le monde se composait de deux sortes de gens : ceux qui avaient été au Viêtnam et les autres. Ces derniers étaient incapables de me comprendre. Ceux qui en étaient revenus savaient exactement ce que j'éprouvais et m'ont dit que c'était pareil pour eux, et c'est uniquement grâce à cela que j'ai su que je n'étais pas fou. C'est la même chose quand on a le cancer. Ceux qui ne l'ont jamais eu ne savent pas ce que c'est. On a besoin de parler à quelqu'un qui est passé par là, parce qu'on sait qu'il va comprendre[5].

À l'instar des anciens combattants du Viêtnam, beaucoup de personnes souffrant d'une maladie grave comme le cancer estiment que seuls ceux qui ont reçu un diagnostic et des traitements similaires peuvent comprendre l'expérience d'un autre patient. Il y a certaines choses que ceux qui n'ont pas eu à lutter contre le cancer ne saisiront jamais ; n'en sont capables que ceux qui ont surmonté cette maladie. Les personnes atteintes ont besoin d'en rencontrer d'autres qui ont vécu une épreuve similaire. Les groupes de soutien peuvent aider à combler ce besoin unique de rencontrer d'anciens patients et de discuter avec eux.

Je ne m'étais encore jamais trouvée dans une salle où tout le monde avait eu le cancer, pas plus que je ne m'étais déjà trouvée dans une salle avec des gens de mon âge atteints d'un cancer. C'était vraiment un retour à la normale et un soulagement tel que je le ressens encore. Il m'arrive de penser que j'ai besoin de revivre tout cela !

Lauren, 22 ans, rétablie.

Les groupes d'entraide sont particulièrement utiles quand il faut surmonter des situations comme le sentiment d'être isolé ou victime d'injustice, et comme la colère, l'autoaccusation et la culpabilité[6]. Leurs membres déclarent parfois avoir l'impression que c'est le seul endroit où l'on peut les aider à triompher de ces difficultés. Dès l'instant où nous prenons conscience de cette réalité commune, nous puisons notre force chez les autres et leur transmettons la nôtre. Quand nous sommes capables d'écouter et de faire preuve de compassion et de compréhension, nos groupes en sont fortifiés.

Ce qui compte, c'est qu'une fois par mois je me retrouve dans une salle remplie de femmes qui ont toutes un cancer du sein. Et l'air que nous y respirons est déjà un soulagement[7].

Ce besoin qu'ont les personnes en rémission de reprendre le dessus et de sentir qu'elles sont capables de décider de leur vie pourrait expliquer pourquoi les groupes d'entraide — organisés et gérés par des patients rétablis plutôt que par des professionnels de la santé — peuvent apporter une aide aussi efficace. Dans ces groupes, elles prennent elles-mêmes les décisions pour l'ensemble. Un groupe d'entraide est véritablement un modèle d'empathie « centré sur le patient » ou « animé » par lui.

LE MOUVEMENT D'ENTRAIDE[8]

On peut considérer que l'essor que connaissent depuis une cinquantaine d'années les Alcooliques anonymes et les programmes d'entraide du même genre, fait partie d'un effort plus vaste entrepris par des gens ayant des besoins communs et non satisfaits dans le but de s'unir pour se soutenir mutuellement. L'expansion subséquente des groupes d'assistance mutuelle qui s'attaquent à de multiples problèmes de santé et de justice sociale, relèvent de la même motivation.

Depuis les années 80, l'Organisation mondiale de la santé (OMS) appuie ce mouvement de solidarité en organisant des ateliers et en diffusant des publications et des recommandations. En décembre 1985, les représentants d'une trentaine de centres d'entraide canadiens et américains se sont réunis au Texas pour la première fois. Cette rencontre a abouti, entre autres choses, à la création de l'International Network of Mutual Help Centers. Ce réseau a pour mandat de partager des informations, des ressources et des idées propres à faire connaître et reconnaître la valeur des groupes d'entraide.

C'est au niveau de la base, dans les collectivités locales, que prennent naissance les activités les plus importantes du mouvement d'entraide. La plupart des groupes connaissent des débuts plus que modestes, ce qui explique pourquoi il prennent souvent beaucoup de temps avant d'avoir pignon sur rue. Les groupes d'entraide pour les personnes atteintes de cancer ne font pas exception. Le tout premier à s'être fait connaître a été fondé en 1973 par les parents d'enfants souffrant de leucémie[9]. Le besoin était déjà tangible bien avant 1970, mais il a fallu du temps au mouvement pour se développer à cause, essentiellement, du peu de reconnaissance officielle de sa valeur ou de son action bienfaisante ainsi que du manque de soutien institutionnel. Le mouvement d'appui aux personnes atteintes de cancer s'inscrit dans un courant général axé sur un rapprochement avec nos collectivités. Les individus se tournent vers les autres pour surmonter leurs craintes et leur angoisse, et pour se sentir plus forts sur le plan personnel. Le fait de se soutenir mutuellement pendant une crise provoquée par le cancer est l'expression d'un besoin humain fondamental, le besoin d'appartenir avec d'autres à une communauté accueillante et sûre. Il y a fort à parier que, tant que les personnes frappées par le cancer se sentiront stigmatisées et connaîtront la peur et la solitude au moment du diagnostic, les groupes de soutien et plus particulièrement peut-être les groupes d'entraide continueront de se multiplier, devenant ainsi des éléments permanents de l'arsenal de soins contre cette maladie.

Cela me procure, une fois par mois et pendant deux heures, cet espace où je regarde la réalité en face, sans faire semblant, et où je peux simplement me détendre. Que ces gens me plaisent ou non n'a strictement aucune importance. Parce que, compte tenu de ce que je vis et que nous partageons, je les aime tous et nous sommes tous dans la même galère[10].

Selon la définition qu'en donne l'International Network of Mutual Help Centers, « l'assistance mutuelle ou entraide » est « un processus en vertu duquel des gens partageant des expériences ou des difficultés communes peuvent s'offrir mutuellement une perspective unique qui ne leur est accessible nulle part ailleurs ».

Le Réseau décrit ainsi les caractéristiques des groupes d'entraide :

- les groupes sont dirigés par et pour leurs membres ;
- les activités communes privilégient le fait de donner et de recevoir de l'aide en racontant des anecdotes, en discutant et en échangeant des expériences ;
- les groupes accueillent toute personne qui partage leur préoccupation commune ;
- ils se réunissent généralement de façon régulière et permanente ;
- ils fonctionnent sur une base bénévole et sont ouverts aux nouveaux membres ;
- ils ne comportent aucuns frais, exception faite de dons modestes pour couvrir les dépenses.

L'ENTRAIDE COMPORTE-T-ELLE DES RISQUES OU DES LIMITES ?

Les gens qui ne sont pas des professionnels se demandent parfois s'ils ne courent pas un risque *juridique* en participant à un mouvement d'entraide. Or, comme les groupes d'entraide ne sont pas constitués de professionnels agissant à ce titre, les risques juridiques sont inexistants.

Par contre, il existe d'autres problèmes qu'ils ne sauraient ignorer. Les situations les plus courantes consistent à se servir des médecins comme bouc émissaire, à vivre en contact avec la mort et le deuil, à sombrer dans l'inertie ou à s'enliser, à se figer sur des attitudes négatives et à dépendre trop fortement de l'animateur ou du responsable du groupe. Ce genre de situation survient dans les groupes qui n'ont pas d'animateur ou dont celui-ci n'a pas encore acquis les compétences voulues, qui perdent de vue l'essentiel, dont les besoins des membres ont changé ou dont certains membres dominent les autres, les tyrannisent ou cherchent à s'emparer du pouvoir.

Les groupes dont les responsables ou les animateurs sont aguerris sont les mieux armés pour affronter des difficultés de cet ordre. Les animateurs doivent posséder des connaissances de base sur le cancer et sur les problèmes psychologiques vécus par les patients et par leurs familles. Ce sont habituellement des personnes qui se sont rétablies, qui sont également familiarisées avec les comportements de groupe ou en ont une certaine expérience et qui se sentent à l'aise avec les personnes atteintes de cancer, à tous les stades de la maladie. Cela n'implique nullement que les responsables doivent être des animateurs professionnels ; mais ils doivent avoir des aptitudes manifestes ou avoir suivi une formation, être expérimentés et prêts à apprendre comment aider leur groupe à fonctionner efficacement.

Il est une autre problématique qui consiste à s'assurer que les membres sont prêts à faire partie d'un groupe. Certains ont besoin de s'habituer au diagnostic sans aide extérieure avant de pouvoir se joindre à d'autres. L'esprit d'entraide veut qu'on vienne quand on est prêt, qu'on prenne ce dont on a besoin et qu'on donne selon ses capacités — sans juger ni être jugé.

Des difficultés surviennent également lorsque de nouveaux membres ont du mal à se faire aux discussions ouvertes sur certains sujets, comme la sexualité ou la peur de la mort. Ils s'attendent peut-être à des manifestations d'optimisme inconditionnel et décideront de ne pas revenir si les réunions leur offrent autre chose. Les groupes d'entraide attirent toutes sortes de personnes, y compris celles dont les besoins ne concordent pas avec les objectifs du groupe.

L'un des enjeux auxquels font face les groupes de lutte contre le cancer et autres groupes d'entraide consiste à admettre ses limites. Il importe de se rappeler que ces derniers ne conviennent pas à tout le monde.

Les groupes doivent savoir reconnaître à quel moment il convient d'aiguiller quelqu'un vers d'autres organismes et vers des professionnels aidants. Les groupes n'ont pas de vocation thérapeutique et leurs membres ne peuvent agir en psychothérapeutes, assurer des soins médicaux ou administrer un traitement. Les personnes qui sont suicidaires ou qui souffrent de dépression clinique ou d'une maladie mentale grave ont besoin de l'aide d'un spécialiste. Un groupe d'entraide *peut* aider les gens à se renseigner sur les ressources appropriées. Ce faisant, il s'intègre à un ensemble de soins qui répondent adéquatement à des besoins individuels, mais sans tenter de combler ceux de tout le monde.

DE QUOI PARLE-T-ON DANS LES GROUPES DE LUTTE CONTRE LE CANCER[11] ?

La principale raison qui pousse les gens à se joindre à un groupe de soutien, c'est justement le fait qu'ils ont besoin d'assistance. Ils veulent apprendre à vivre avec le cancer et pensent qu'ils s'en sortiront mieux en parlant avec des personnes qui suivent ou ont suivi des traitements. La plupart des groupes de soutien répondent au moins en partie aux attentes des gens. Apprendre à vivre avec le cancer demande du temps et des efforts ; aussi, aident-ils ceux qui viennent de recevoir leur diagnostic à comprendre que c'est seulement avec le temps que la plupart d'entre nous acquièrent la capacité de vivre avec la maladie.

Les thèmes les plus souvent abordés dans les groupes de soutien sont, entre autres :

- apprendre à maîtriser sa colère ;
- vivre avec la peur de mourir ;
- surmonter la fatigue et la douleur ;
- composer avec la dépression ou la culpabilité ;
- trouver des raisons d'espérer ;
- trouver un sens spirituel à la vie.

J'ai souvent dit qu'en un sens tout ce que nous faisons — les groupes de soutien, les cours, les activités sociales — n'est rien d'autre qu'un prétexte pour rapprocher les gens, une structure au sein de laquelle tout cela peut avoir lieu.

Les discussions ne se limitent pas à cette liste. Les membres parlent également des conflits au sein de leur couple, de sexualité, de dépendance et de solitude. Ils disent la difficulté qu'ils ont à parler des traitements et du pronostic avec leur famille, leurs amis et les professionnels de la santé. Ils consacrent aussi beaucoup de temps à exprimer les inquiétudes que soulèvent les décisions en matière de traitement, les effets secondaires, la douleur, les rapports avec le personnel soignant, les médecines parallèles et les problèmes financiers.

Les groupes de lutte contre le cancer fournissent un endroit où l'on peut exprimer ses peurs et apprendre de nouvelles façons d'être. Ainsi, après la longue agonie d'un membre de son groupe[12], une adhérente a dit craindre que la sienne ne soit également longue et douloureuse. Son oncologue, les infirmières et les autres soignants lui avaient expliqué qu'il n'y a pas deux cas semblables et qu'elle ne devait pas croire que ce qui arrive à l'un de nous arrivera à tous. Néanmoins, c'est seulement après que les membres du groupe lui ont fait comprendre que chacun de nous a des choix à faire, face à notre maladie, qu'elle a réussi à se différencier du membre qui venait de mourir.

> *Si vous pouvez parler à quelqu'un qui a vécu tout cela et qui répond honnêtement à vos questions, [...] c'est un soulagement incroyable [...]. Comme l'a dit l'une des filles, «Une réunion comme celle-ci et toutes ces informations qu'on nous donne, c'est encore mieux que de gagner à la loterie.»*

Que la discussion porte sur des questions psychologiques ou sur des aspects pratiques, la participation au groupe répond au besoin profond d'être libéré de ses craintes et d'échapper à la dépression. Bien des gens adhèrent à un groupe parce qu'ils se sentent seuls, isolés et, d'une certaine façon, « différents » des autres, même de ceux qu'ils aiment. Le fait d'exprimer et de partager leurs émotions les aide à développer un sentiment d'appartenance — à se sentir à nouveau «normaux». Le soulagement qui en découle est un élément prépondérant de l'efficacité du groupe. Car nous sommes souvent portés à cacher ces émotions à notre famille et à nos proches, parce que nous éprouvons le besoin de les préserver des craintes que le cancer éveille en nous. Dans le groupe, nous disposons d'un endroit sûr et fiable où nous pouvons parler de ce que nous ressentons et nous en libérer.

Je pense que le fait que les autres éprouvent les mêmes sentiments [...], on n'a pas perdu les pédales, ce genre de choses. Si on se ronge les ongles pendant deux semaines, qu'on est irritable et qu'on n'a pas envie de vivre avec [le cancer], et de bien vivre, on constate que tout le monde passe par là, enfin, c'est ce qu'il semble[13].

LES QUATRE MODES DE FONCTIONNEMENT DES GROUPES

En règle générale, les membres des groupes s'entraident de quatre façons :

1. en s'écoutant les uns les autres et en se racontant leur propre histoire ;
2. en échangeant des informations inspirées de leur expérience personnelle ;
3. en offrant un soutien affectif fondé sur l'empathie et la compréhension ;
4. en insufflant un sentiment d'appartenance au groupe.

LES CARACTÉRISTIQUES DES GROUPES D'ENTRAIDE EFFICACES

Un groupe est efficace lorsque ses membres comprennent leurs besoins respectifs et s'efforcent ensemble de les satisfaire[14]. Dans les groupes d'entraide et de soutien qui fonctionnent bien, les membres s'aident entre eux au lieu de compter uniquement sur l'animateur ou le responsable. De tels groupes contribuent à renforcer leur impression d'être proches les uns des autres, en dépit d'éventuelles divergences d'opinion. En principe, il se développe une culture de groupe qui engendre des liens fondés sur l'intimité, l'engagement, l'acceptation, la compréhension et la sécurité.

J'estime que nous nous sommes davantage aidés entre nous que ne l'a fait l'animatrice, mais je pense néanmoins que son rôle est nécessaire, parce qu'elle nous a maintenus sur la bonne voie.

Il ressort d'une étude[15] sur les effets des groupes d'entraide que plus les membres y sont actifs et plus ils sont satisfaits à la fois du groupe et de leur propre vie. Ces personnes mentionnent une plus grande satisfaction de vivre, un recours moins fréquent aux services des soins de santé et aux traitements, une estime de soi renforcée, une meilleure capacité à affronter les situations et une attitude plus positive face aux problèmes. En outre, les sentiments de solitude, de peur et de confusion ont grandement diminué.

EN PREMIÈRE LIGNE : RÉCITS DE MEMBRES DES GROUPES DE LUTTE CONTRE LE CANCER

NIAGARA FALLS, ONTARIO

Notre groupe de soutien a vu le jour, parce que des femmes atteintes d'un cancer du sein voulaient discuter de leur expérience. Au moment du diagnostic, elles n'avaient eu personne vers qui se tourner. Le cancer du sein est quelque chose de traumatisant quand on est seule pour y faire face. Nous ne pouvions compter sur le milieu médical pour obtenir ni de l'information ni un soutien affectif. C'est par le bouche à oreille que quelques-unes d'entre nous ont appris l'existence des autres et ont organisé une rencontre. Nous avons alors constaté que nous avions beaucoup de choses en commun. Le diagnostic nous avait anéanties, l'avenir nous terrifiait et nous nous sen-

tions seules avec notre maladie. Jamais nous n'aurions cru qu'il se-
rait aussi difficile d'obtenir l'information et le soutien dont nous avions
besoin. Nous avons alors décidé de prendre les choses en main.

La première réunion du Niagara Breast Cancer Support Group a
eu lieu le 16 décembre 1991. Cinq femmes y ont assisté. Nous sommes
immédiatement devenues des amies et dès ce moment nous avons eu
quelqu'un à qui nous pouvions téléphoner quand nous avions besoin
de parler. L'appartenance à un groupe nous a permis de nous sentir
moins vulnérables, moins seules. Nous avons commencé à compter
les unes sur les autres pour l'information et l'appui qu'il nous était
impossible d'obtenir ailleurs. Et ce petit groupe est finalement devenu
un groupe de femmes important, florissant et diversifié.

WELLWOOD, HAMILTON, ONTARIO

Greg O'Connell poursuivait une carrière exceptionnelle comme chef
du service d'oncologie gynécologique au Hamilton Regional Cancer
Centre et comme directeur du département d'oncologie gynécolo-
gique au McMaster University Health Sciences Centre. Ses collègues
disaient de lui qu'il était créatif, drôle, têtu et d'une remarquable per-
sévérance.

Greg a rencontré sa femme, Maureen O'Connor, pendant ses
études à Montréal. Ils avaient une passion commune pour la justice
sociale, la musique de Bob Dylan et la poésie de Dylan Thomas.
Ensemble, ils travaillèrent pour SUCO en Papouasie-Nouvelle-
Guinée, puis au Nicaragua, dans des centres de santé publique pour
les démunis. Par la suite, la carrière de Greg s'orienta vers la recherche
et le traitement du cancer des ovaires. Greg et Maureen ont eu deux
enfants, Caitlin et Eamonn.

En 1989, on a diagnostiqué chez Greg une tumeur très rare ; si
rare, en fait, qu'il a eu beaucoup de mal à trouver des informations
précises. Dès ce moment, Greg a fait appel à toutes ses forces et à
toutes ses ressources. Sa maladie a changé sa façon d'envisager la vie
ainsi que les besoins des personnes qui sont atteintes d'une maladie

potentiellement fatale. Il est devenu plus ouvert aux dimensions affectives et spirituelles de la vie et des soins médicaux ; sa sensibilité et sa compassion envers ses patients se sont intensifiées du fait de sa propre lutte. En outre, la méditation et les journées de réflexion occupaient désormais une place importante dans sa vie.

En 1995, Maureen et Greg ont fondé le Wellwood Cancer Resource Centre, où les patients de la région de Hamilton ainsi que leurs familles peuvent obtenir des informations et des conseils, compter sur l'appui de leurs pairs et retrouver l'espoir. En 1997, ils ont été le premier couple dans l'histoire de la Société canadienne du cancer à recevoir conjointement la « Médaille du courage ».

Greg est décédé le 4 octobre 1998 ; il n'était âgé que de 50 ans. Au terme du voyage qu'il a entrepris avec Maureen, il laisse un héritage permanent à tous ceux et celles qui, à un degré ou à un autre, vivent avec le cancer. Le centre de Wellwood, qui a été inauguré en 1997, constitue l'une des plus grandes contributions de Greg et de Maureen à leur communauté.

THE CANCER SUPPORT COMMUNITY, SAN FRANCISCO, CALIFORNIE (PAR TREYA KILLAM WILBER)

La CSC est issue d'une version atténuée de la « galère commune ». Oui, nous sommes convaincus de l'utilité des techniques (représentation mentale, méditation), mais nous sommes beaucoup plus intéressés à rencontrer les gens là où ils se trouvent et à leur procurer ce qu'ils demandent qu'à confirmer une théorie. J'ai souvent dit qu'en un sens tout ce que nous faisons — les groupes de soutien, les cours, les activités sociales — n'est rien d'autre qu'un prétexte pour rapprocher les gens, une structure au sein de laquelle tout cela peut arriver. Après avoir appris que j'avais un cancer, j'ai constaté que j'avais du mal à fréquenter mes amis. Il m'a fallu consacrer énormément d'énergie à m'occuper d'eux, à leur expliquer des choses, à apaiser leurs craintes à mon endroit ainsi que la peur, souvent inexprimée, qu'ils ressentaient pour eux-mêmes. J'ai découvert que le fait de rencontrer d'autres personnes atteintes d'un cancer m'apportait un immense soulagement. J'ai alors compris que j'appartenais désormais à une autre famille, celle des gens qui savent ce qu'est le cancer à partir de leur propre expérience. Et je crois que l'essentiel des activités de la CSC consiste à fournir aux membres de cette famille un endroit où ils peuvent se rencontrer et une façon de s'entraider. S'entraider en s'appuyant sur l'amitié, l'échange d'informations, le partage des craintes, la possibilité de pouvoir discuter de sujets comme le suicide et le fait de laisser ses enfants derrière soi, la douleur et la crainte de la douleur ou de la mort, le fait de devenir chauve et bien d'autres choses encore.

THUNDER BAY, ONTARIO
L'idée de fonder à Thunder Bay un groupe de soutien pour les femmes ayant le cancer du sein est venue de deux femmes qui se sont rencontrées à l'épicerie. Pendant que nos crèmes glacées fondaient, nous avons préparé la première réunion.

LES GROUPES D'ENTRAIDE SONT-ILS TOUS EFFICACES ?

Les groupes d'entraide pour les personnes atteintes de cancer ne sont pas tous efficaces ou utiles, et ce, pour plusieurs raisons. Les membres peuvent être submergés par des émotions trop fortes pour pouvoir se soutenir mutuellement. Le groupe peut être dominé par un membre en proie à la colère ou qui se comporte en tyran. Faute de priorités ou d'objectifs précis, les membres ne savent pas trop à quoi s'attendre. Il est également possible que des changements parmi ces derniers ou parmi les animateurs entraînent la disparition de son orientation première. Les groupes d'entraide sont administrés par et pour des patients qui vivent avec une maladie potentiellement mortelle, et ceux qui y travaillent à titre

bénévole luttent eux aussi contre la maladie et contre des traitements qui les affaiblissent. Le stress subi par les membres peut
provoquer de temps à autre un épuisement collectif. On pourra
éviter ce genre de problèmes si le groupe a des animateurs quali-
fiés et compétents, un but clair et bien compris de tous, et des en-
tentes simples sur la façon de travailler ensemble. Des stratégies
plus détaillées sont élaborées dans les chapitres suivants afin
d'établir et de maintenir des groupes fructueux.

POURQUOI LES GROUPES D'ENTRAIDE NE SONT-ILS PAS INTÉGRÉS AU TRAITEMENT MÉDICAL CONVENTIONNEL ?

Quand il s'agit de la maladie et du retour à la santé, la démarche
médicale conventionnelle privilégie le patient plutôt que l'aide
fournie par les groupes. Comme les ressources en soins de santé
sont limitées, le réseau canadien des services accorde la priorité
au traitement de la maladie physique. L'entraide, pour sa part, se
concentre sur la satisfaction des besoins affectifs et spirituels de
la personne, considérée dans son intégrité. Même si certains estiment encore que l'efficacité des groupes de soutien ou d'entraide
reste à prouver, il existe maintenant des douzaines d'études[16] en
oncologie qui ont relevé une amélioration de la qualité de vie des
patients, par suite de leur participation à ces groupes. Une masse
de renseignements qui ne cesse de grossir atteste la valeur et l'efficacité de l'entraide. Au bout du compte, ces recherches, la demande de services émanant de «baby-boomers» vieillissants et
touchés par le cancer, ainsi que le manque de financement pour
les services de soutien destinés aux personnes vivant avec cette
maladie feront des groupes d'entraide un élément de plus en plus
systématique de la planification du traitement.

QUELLES DIFFÉRENCES Y A-T-IL ENTRE LES GROUPES D'ENTRAIDE ET LES GROUPES THÉRAPEUTIQUES[17] ?

Les groupes d'entraide se distinguent de leurs pendants psychothérapeutiques par les objectifs, le leadership, la philosophie et d'autres facteurs.

Les objectifs — L'équipe de psychothérapie conventionnelle s'intéresse d'abord et avant tout à l'évolution personnelle, plutôt qu'au soutien, et s'efforce de comprendre notre résistance au changement. La thérapie a pour but premier d'aider les individus à modifier certains aspects de leur personnalité afin d'améliorer leur comportement sur le plan relationnel ou dans d'autres domaines de leur vie. Les membres de l'équipe ont pour outils l'observation personnelle et la réflexion ; l'entraide ne fait pas partie de leurs priorités. En revanche, les groupes de soutien aident leurs membres à trouver, du fait même de leur participation, un sens à ce qu'ils vivent et à développer un sentiment d'appartenance. Lorsque ceux-ci y parviennent, il leur arrive fréquemment de changer, même si ce n'était pas là le but recherché.

Le leadership — Contrairement aux équipes thérapeutiques qui sont dirigées par des spécialistes, les groupes d'entraide ou d'assistance mutuelle ont pour animateur une personne qui n'est pas un professionnel. Bien qu'ils puissent fréquemment compter sur l'appui des spécialistes, ils sont « animés » par un ou plusieurs membres qui vivent les mêmes problèmes que les autres adhérents. Pour les groupes de soutien, la philosophie de l'entraide se résume ainsi : « Aider les autres m'aide moi-même. » L'animateur a pour fonction de renforcer la cohésion du groupe, de diffuser de l'information, de rappeler aux membres les règles et structures sur lesquelles ils se sont entendus et de prendre les mesures qui conviennent en cas de difficulté. Les bons animateurs aident les groupes à fonctionner d'une manière sûre et accueillante.

La philosophie — Toute personne qui demande de l'aide est une participante active en même temps qu'une intervenante dans le processus. En étant celle qui aide aussi bien que celle qui est aidée, elle en vient à s'estimer davantage et à se sentir valorisée parce qu'elle compte pour les autres.

L'origine de l'expertise — Les spécialistes ont des diplômes pour prouver qu'ils sont des psychothérapeutes confirmés. Dans l'entraide, les membres n'ont d'autre qualification que leur propre expérience, laquelle est partagée par tous les adhérents.

La distance sociale — Un spécialiste se doit d'être objectif et de rester impartial vis-à-vis des membres de l'équipe ou de ses patients ; dans le cas du groupe d'entraide, la personne qui en fait partie est à la fois celle qui aide et celle qui est aidée, et elle évolue au sein d'un petit réseau personnel dont les membres partagent les forces et les difficultés.

Le style — Le client qui veut avoir accès à des services professionnels doit prendre rendez-vous, verser des honoraires et suivre une thérapie d'une durée déterminée. Les membres du groupe d'entraide sont généralement prêts à offrir une aide concrète chaque fois que cela s'avère nécessaire, celle-ci ne coûte rien et sa durée est le plus souvent indéterminée.

COMMENT LES GROUPES D'ENTRAIDE ET LES PROFESSIONNELS AIDANTS PEUVENT-ILS TRAVAILLER DE CONCERT ?

Autrefois, les groupes d'entraide étaient souvent réticents à collaborer avec les professionnels aidants. Mais depuis qu'ils ont gagné en crédibilité, bon nombre d'entre eux recherchent le concours de ces spécialistes, y compris comme coanimateurs[18]. Des études ont démontré que la participation active des spécialistes, soit à titre de consultants, soit pour aider un groupe à démarrer, renforce les liens entre les divers organismes œuvrant auprès des personnes atteintes de cancer et accroît l'efficacité des approches tant d'entraide que spécialisées[19]. Si, par exemple, un spécialiste collabore avec votre groupe, il sera plus facile pour vos adhérents de savoir à qui s'adresser en fonction de leurs besoins respectifs. Les membres des groupes de lutte contre le cancer sont souvent aux prises avec de lourds problèmes affectifs et votre groupe voudra savoir vers qui diriger ceux dont les besoins dépassent ses capacités.

Ceux de vos membres qui sont des professionnels aidants — psychiatres, psychologues, travailleurs sociaux, infirmières et thérapeutes — doivent montrer clairement qu'ils ont bien compris le rôle qui leur est dévolu au sein du groupe. Ainsi, ils devront préciser s'ils participent en tant que spécialistes ou à cause de l'expérience acquise en vivant avec le cancer.

L'expression «à la base et non au sommet» peut servir de jalon pour aider à établir une association équilibrée entre ceux qui s'entraident et les professionnels aidants.

RÉSUMÉ

- Les personnes qui partagent des expériences ou des problèmes communs possèdent des connaissances particulières qu'elles doivent au fait de vivre avec lesdits problèmes.
- Ce savoir collectif crée un lien et dote les membres du groupe de qualités exceptionnelles qui leur permettent de s'aider mutuellement.
- Grâce à leur participation active au sein du groupe, les membres peuvent vaincre leur isolement et reprendre leur vie en main.
- Le leadership est partagé par tous.

- Le groupe a pour but de soutenir les membres qui apprennent à vivre avec le cancer.
- L'expérience partagée engendre un sentiment de sécurité propre à stimuler l'espoir de se rétablir.
- Les partenariats avec des spécialistes sont encouragés.

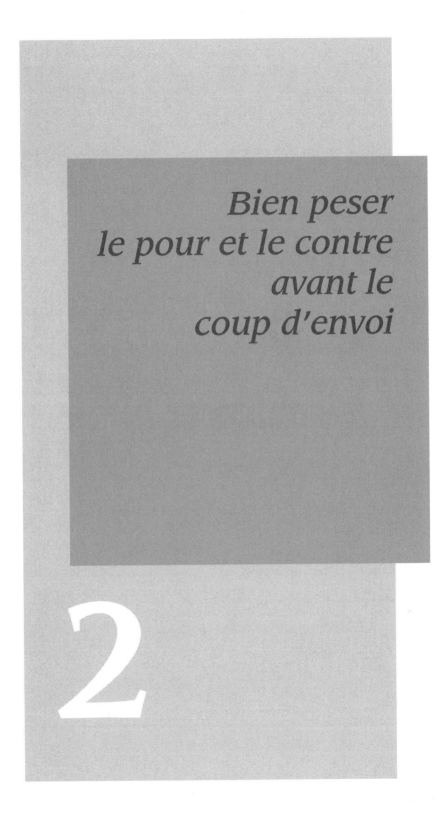

Bien peser
le pour et le contre
avant le
coup d'envoi

2

Les principes de base du mouvement d'entraide sont les suivants :
- être courageux ;
- débuter modestement ;
- utiliser ce qu'on a sous la main ;
- faire quelque chose qui nous plaît ;
- ne pas s'engager au-delà de ses capacités[20].

La « connaissance de soi » est le thème qui sous-tend le mouvement d'entraide. Vous devrez dresser la liste précise de vos sentiments, objectifs, compétences et capacités, et évaluer le sérieux de votre engagement avant de vous lancer dans cette entreprise. Les exercices de ce chapitre ont pour but de vous y aider.

PREMIÈRE ÉTAPE : PENSEZ À VOS RÉACTIONS AU MOMENT DU DIAGNOSTIC

Avant de vous engager sur la voie de l'entraide, prenez le temps de repenser à vos réactions lorsqu'on vous a annoncé le diagnostic. Vous jugerez peut-être bon de passer en revue les questions qui suivent en compagnie d'un ami intime ou d'un membre de votre famille[21]. Celles-ci ont été conçues pour faciliter votre réflexion sur vos sentiments, expériences, préoccupations et besoins, et sur la façon dont vous pourrez vous inspirer de vos réactions au moment d'organiser ou d'animer un groupe de lutte contre le cancer. Il n'y a pas de « bonnes » réponses. Cet exercice n'a d'autre but que vous aider à clarifier vos intentions pour vous-même.

- Qu'est-ce que je pensais des personnes atteintes d'un cancer avant mon diagnostic ?

- Qu'est-ce que j'ai ressenti à l'annonce du diagnostic ?
- Était-ce différent de ce que j'espérais ou de ce à quoi je m'attendais ?
- Qu'est-ce que j'écrirais à quelqu'un qui recevrait un diagnostic similaire ?
- Qu'est-ce qui m'a paru le plus insupportable dans le diagnostic ?
- Avec qui m'a-t-il été le plus facile d'en parler ?
- Est-ce que j'étais en colère contre le médecin Pourquoi ?
- Comment ai-je composé avec ma colère ?
- En quoi l'attitude de mon médecin ou de l'infirmière m'a-t-elle fait me sentir plutôt bien ou plutôt mal ?
- Comment les gens ont-ils réagi ?
- Comment ai-je composé avec la solitude ?
- Comment ai-je composé avec la peur ?
- Quels sont les problèmes que j'ai réussi à surmonter ?
- Quels étaient mes rêves avant le diagnostic ?
- Quels sont les problèmes avec lesquels je continue de me débattre ?
- Quels sont mes rêves maintenant ?
- En quoi ma vie a-t-elle changé ?
- Mon expérience avec le cancer m'a enseigné quelque chose de très particulier. C'est...

DEUXIÈME ÉTAPE : RÉFLÉCHISSEZ À LA FAÇON DONT VOUS ENTENDEZ PROCÉDER

Vous voudrez peut-être réfléchir également à vos intentions profondes : à ce que vous pensez pouvoir apporter aux autres patients et aux personnes qui se sont rétablies.

Dans laquelle de ces propositions vous retrouvez-vous ?

- Je veux partager mon expérience avec d'autres.

- Cela m'aide de savoir que je ne suis pas seul.
- C'est un travail intéressant.
- Mon cancer a été traité et je suis en bonne santé. Je me sens tenu de renvoyer l'ascenseur.
- Je suis reconnaissant d'avoir recouvré la santé et je veux expliquer aux autres les facteurs qui ont contribué à mon rétablissement.
- J'estime que les groupes de soutien peuvent aider les personnes vivant avec le cancer à reprendre le dessus.
- Je veux participer à quelque chose d'important.
- Je veux être bon envers les autres comme ils l'ont été envers moi.
- Cela m'aide d'aider les autres.

TROISIÈME ÉTAPE : DÉTERMINEZ CELLES DE VOS COMPÉTENCES ET DE VOS CAPACITÉS QUI SERONT UTILES POUR LE PROJET

L'Inventaire des compétences personnelles[22] a pour but de vous aider à vous fixer des objectifs, eu égard à votre développement personnel. Vous pouvez le remplir seul, mais il serait peut-être plus profitable de le faire avec les personnes qui participeront avec vous à l'organisation du groupe.

Lisez la liste des compétences et voyez où vous vous situez. S'il en est d'autres qui vous paraissent importantes, notez-les. Reprenez la liste et déterminez les points que vous devrez améliorer. Pour animer un groupe de lutte contre le cancer, il faut être objectif et ne pas porter de jugement, aider le groupe à ne pas perdre ses priorités de vue, respecter les principes directeurs et pouvoir amener les autres à s'exprimer. Les animateurs doivent également être capables de faire face aux comportements difficiles sans blesser qui que ce soit. Si ces compétences vous sont étrangères ou si vous constatez que l'animation d'un groupe n'est pas pour vous, vous pourrez quand même collaborer de bien d'autres manières. Vous connaissez probablement quelqu'un qui est taillé pour cette tâche. Demandez-lui de se joindre à vous ou de vous aider, vous et d'autres personnes, à acquérir les compétences nécessaires pour devenir animateur.

INVENTAIRE DES COMPÉTENCES PERSONNELLES

LA COMMUNICATION	OK	Besoin d'en faire plus	Besoin d'en faire moins
Pouvoir m'exprimer devant un groupe			
Être bref et concis			
Amener les autres à prendre la parole			
Écouter avec générosité			
Réfléchir avant de parler			
Garder mes réflexions pour moi			
Ne pas interrompre			

L'OBSERVATION	OK	Besoin d'en faire plus	Besoin d'en faire moins
Remarquer la tension qui règne dans le groupe			
Évaluer le degré d'énergie			
Remarquer qui parle avec qui			
Évaluer le degré d'intérêt			
Être réceptif aux sentiments des autres			
Remarquer qui reste silencieux			
Remarquer qui se sent exclu			
Remarquer les effets de mes commentaires sur les autres			
Remarquer les sujets que le groupe évite ou qui le dérangent			
Remarquer les silences			

LE RÈGLEMENT DES PROBLÈMES	OK	Besoin d'en faire plus	Besoin d'en faire moins
Reconnaître l'existence d'un problème			
Exposer les problèmes clairement			
Demander des suggestions, des opinions et des réponses			
Soumettre des idées			
Résumer la discussion			
Clarifier les points litigieux			
Prendre une décision			
Appliquer une décision			

L'INCITATION	OK	Besoin d'en faire plus	Besoin d'en faire moins
Manifester mon intérêt			
Amener les autres à s'impliquer			
Favoriser des maillages			
Obtenir des ententes			
Maintenir un processus ouvert, démocratique et sûr			
Valoriser les idées et les capacités des autres			
Reconnaître les contributions individuelles			

L'EXPRESSION DES ÉMOTIONS	OK	Besoin d'en faire plus	Besoin d'en faire moins
Dire aux autres comment je me sens			
Dissimuler mes émotions			
Exprimer ouvertement mon désaccord			
Me montrer chaleureux			
Exprimer ma gratitude			
Être sarcastique			

Les situations émotionnelles	OK	Besoin d'en faire plus	Besoin d'en faire moins
Affronter les conflits et la colère			
Accepter la proximité et l'affection			
Accepter les silences			
Faire face au désappointement			
Faire face à la tristesse			
Faire face à la douleur ou au deuil			

Les relations sociales	OK	Besoin d'en faire plus	Besoin d'en faire moins
Avoir un comportement dominateur			
Faire confiance aux autres			
Être efficace			
Avoir un comportement protecteur			
Venir à la rescousse			
Besoin d'attirer l'attention			
Savoir me défendre			

Divers	OK	Besoin d'en faire plus	Besoin d'en faire moins
Comprendre mes motivations			
Encourager les autres à commenter mon comportement			
Accepter de l'aide sans arrière-pensée			
Faire des remarques aux autres			
Faire mon autocritique			
Savoir patienter			

QUATRIÈME ÉTAPE : DÉCOUVREZ SI D'AUTRES PERSONNES ONT LA MÊME OPTIQUE QUE VOUS

Si vous avez fait cet exercice en compagnie de personnes qui souhaitent fonder un groupe, vous pourrez analyser vos résultats avec elles. Mais si vous avez travaillé en solo jusqu'à présent et tenez à aller de l'avant, c'est le moment de vous mettre en quête de gens qui partagent vos intérêts et certaines de vos valeurs. Ceux-ci devront avoir foncièrement envie de mettre sur pied un groupe d'entraide pour les personnes atteintes de cancer (et non de se contenter d'y adhérer). Travailler en équipe vous évitera de succomber à l'épuisement quand la charge de travail augmentera. Mais ce qui importe bien davantage, c'est le fait que quand vous tiendrez votre première réunion et entreprendrez de publiciser votre action, celle-ci sera perçue comme une initiative collective et non comme une démarche individuelle.

Trouver d'autres personnes rétablies qui sont prêtes à accomplir cette tâche peut s'avérer passablement difficile ; voici donc quelques trucs :

- Expliquez vos intentions aux membres du centre de traitement anticancer, de la clinique ou de l'hôpital, et demandez-leur s'ils ne connaîtraient pas des personnes ayant des intérêts similaires.
- Discutez de vos idées avec votre famille, vos amis, vos collègues de travail et vos voisins.
- Demandez l'autorisation d'afficher des avis à la clinique, à l'hôpital ou au centre de traitement, ou aux endroits où les personnes atteintes viennent s'informer.
- Parlez avec les responsables d'autres groupes d'entraide de votre région.

- Vérifiez auprès des bureaux locaux ou des sections d'organismes reconnus de lutte contre le cancer s'ils ont des services d'entraide ou des ateliers de formation. Demandez-leur si vous pouvez travailler ensemble.

Je suis ravie que Ken veuille avoir des enfants. Mais qui peut savoir si mon état de santé nous le permettra ? Quoi qu'il advienne, je pense qu'un organisme comme la Cancer Support Community sera toujours mon enfant. C'est quelque chose de très particulier et, comme tout bon parent, j'en suis extrêmement fière[23].

RÉSUMÉ

1. Rappelez-vous comment vous avez réagi en apprenant le diagnostic.
2. Demandez-vous pourquoi vous voulez faire ce travail (vos objectifs).
3. Déterminez celles de vos compétences et de vos capacités qui seront utiles pour le projet.
4. Découvrez si d'autres personnes ont la même optique que vous.

Les préparatifs

3

COMMENCEZ PAR ÉTUDIER VOTRE TERRITOIRE

Même si quelques groupes de soutien pour les personnes atteintes de cancer semblent parvenir à démarrer et à poursuivre leurs activités sans grande planification, la plupart ont besoin d'être aidés, surtout à leurs débuts. Il serait donc bon que vous-mêmes et vos coéquipiers sachiez ce qui se fait déjà. Vous pourriez, par exemple, assister à l'une des réunions d'un groupe d'entraide déjà implanté dans votre secteur. Informez-le de vos intentions et demandez-lui conseil. Essayez d'apprendre comment il fonctionne — et adoptez pour votre groupe celles de ses méthodes qui vous paraissent les plus adéquates.

MISE EN GARDE

L'organisation d'un groupe d'entraide est loin d'être aisée. Cela demande du temps et la plupart des tâches ne sont ni agréables ni intéressantes. En outre, chacun des cofondateurs a sa petite idée sur le degré de planification et d'organisation que cela requiert ainsi que sur le genre d'administration ou de structure dont le groupe aura besoin. Certains trouveront cette période stressante, d'autres la jugeront passionnante. Le fait de s'en tenir à la formule « chaque chose en son temps » est généralement efficace, mais cela peut aussi engendrer conflits et déceptions. Les étapes de planification, de discussions et de résolution des problèmes ou des conflits sont d'une grande importance pour le développement de votre groupe. Résorber les conflits et les divergences d'opinion en faisant preuve de respect et négocier fructueusement des accords seront donc des éléments prépondérants du processus d'apprentissage.

BIEN COMPRENDRE LES ÉTAPES DE L'ÉVOLUTION DES GROUPES[24]

Si vous possédez quelques notions sur les étapes de l'évolution des groupes, vous parviendrez plus facilement à résoudre les éventuels problèmes. Que votre groupe vienne tout juste de débuter ou qu'il existe depuis un certain temps, la connaissance des comportements qui vont de pair avec ces étapes vous aidera à suivre sa progression et à prévoir ce qui se passera ensuite.

ÉTAPE	COMPORTEMENT
1. L'ÉTAT EMBRYONNAIRE	Il s'agit de l'étape pendant laquelle les membres : • font connaissance ; • définissent leurs objectifs ; • fixent les règles de base ; • commencent à se faire mutuellement confiance.
2. LA MÊLÉE	C'est à cette étape que le groupe entreprend de régler les divergences d'opinions et les questions de relations, de leadership et de pouvoir. Il commence aussi à décider ce qu'il fera ensuite. S'il n'a pas résolu ses problèmes à ce moment-là, il risque de se dissoudre. La dissolution est une décision judicieuse pour bien des groupes, lorsque leurs membres n'arrivent pas à s'entendre, qu'ils n'ont pas le temps, l'énergie ou les ressources nécessaires pour poursuivre, ou encore quand leur état de santé les en empêche.
3. LA NORMALISATION	Le groupe est maintenant soudé. Cette étape se caractérise par : • l'acceptation mutuelle des membres et du rôle dévolu à chacun ;

* l'harmonie qui règne au sein du groupe;
* l'adhésion aux objectifs du groupe et le désir
  de respecter les accords.

4. LA PROGRESSION	Le groupe évolue et fonctionne bien. Ses membres ont une idée précise de ses objectifs et il les aide à satisfaire leurs besoins. Il s'est doté de mécanismes efficaces pour: • régler les problèmes; • prendre des décisions; • résoudre les conflits.
5. LA SÉPARATION	Le groupe a décidé de se dissoudre. Les membres devraient avoir la possibilité: • d'exprimer les sentiments que leur inspire la fin du groupe; • de se rappeler les succès; • de déterminer les problèmes; • d'écouter les autres expliquer ce que le groupe représentait pour eux; • de faire une fête et de se dire au revoir.

En règle générale, un groupe va alterner entre ces étapes; quelques-uns seulement passeront de l'une à l'autre dans le bon ordre. Une fois encore, il n'existe pas de bonne ou de mauvaise façon de se développer dans le cas des groupes. En sachant où se situe le vôtre dans son évolution, vous reconnaîtrez plus facilement ceux qui sont restés bloqués et ceux qui ont réussi à s'en sortir. Tenez bon!

LA TENUE D'UN JOURNAL DE BORD

Il serait bon que, durant la période effrénée de la mise en route, quelqu'un se charge de noter les décisions et les actions du comité organisateur. De ce fait, lorsque votre groupe sera bien établi, les nouveaux membres pourront comprendre quand, comment et pourquoi ces décisions ont été prises. Inscrivez aussi les coordonnées des personnes-ressources. C'est là un bon moyen de conserver l'histoire de votre groupe depuis le début. Vous pourriez même en tirer un récit si jamais vos membres décidaient plus tard de publier un bulletin.

LE JUMELAGE DES COMPÉTENCES ET DES TÂCHES À ACCOMPLIR

Pendant l'étape de la planification ou du démarrage, les membres découvriront leurs compétences respectives. Si vous avez dressé un «Inventaire des compétences personnelles», vous aurez probablement une idée assez précise des points forts, des intérêts et de l'expérience de chacun. Dans le domaine du bénévolat, il existe une règle empirique qui consiste à jumeler l'individu et la tâche. Si l'un de vos adhérents s'exprime aisément en public, proposez-lui le rôle de porte-parole. D'autres seront prêts à assumer l'une ou l'autre des multiples fonctions : rédaction, accueil des nouveaux venus, tenue à jour des bases de données informatiques, coups de fil aux membres, analyse des ressources locales, conception de prospectus, préparation des rafraîchissements, administration ou négociations avec les spécialistes et les entreprises. Quand un travail est une source de satisfaction, de défi ou de gratification, les gens sont généralement enclins à le conserver.

LE BUT DU GROUPE

L'une des premières décisions que votre groupe aura à prendre portera sur la détermination de ses objectifs, ce qu'un énoncé de mission pourra faciliter. La mission ou le but est comme une lumière qui guide les membres en les maintenant centrés sur les objectifs et les activités, et minimise la confusion et les problèmes à mesure que le groupe s'agrandit.

Si un groupe décide, par exemple, d'axer sa mission sur l'éducation, ses nouveaux adhérents ne devront pas s'attendre à ce que les relations sociales soient au cœur des réunions. L'énoncé de mission d'un groupe d'entraide pour les personnes atteintes de cancer pourrait se lire comme suit : *Offrir un soutien affectif et de l'information aux membres de notre collectivité qui sont touchés par le cancer.* En déterminant son orientation, le groupe prépare le terrain pour toutes les décisions qu'il aura à prendre par la suite. Un but clairement établi précise l'orientation du groupe, de sorte que les membres éventuels sauront ce qu'il en est, et réduit les malentendus quant à la nature de ses activités.

Ce but étant fixé, vous devrez vous assurer qu'il est bien compris de tous, ce qui inclut les nouveaux adhérents. Dans de nombreux groupes, il est fréquent de voir, avant le début des réunions, un membre accueillir tout le monde et expliquer les objectifs.

> Sachez clairement ce que vous voulez dire sur le but de votre groupe, afin d'être sûr d'inviter les bonnes personnes.

De temps à autre, lorsque les membres évaluent leur efficacité commune, il peut être utile de se demander si le but, les besoins ou les attentes n'ont pas changé. Une fois encore, il n'y a pas de bonne ou de mauvaise façon de procéder. Les membres doivent être conscients de l'évolution des besoins et des possibilités qui les accompagnent, et être prêts à en tenir compte.

LA DÉTERMINATION DES OBJECTIFS

Après avoir décidé de son but premier, le groupe doit se fixer des objectifs. Ceux-ci, qui sont fonction du but, clarifient habituellement ses actions ou activités spécifiques. L'un des objectifs les plus caractéristiques consiste à vouloir atténuer le sentiment d'isolement ou de solitude que les gens ressentent parfois.

Si vous ne savez pas ce que les patients et les personnes rétablies, dans votre collectivité, espèrent du vôtre, ce serait une bonne chose d'en discuter dès la première réunion.

Exemples d'objectifs individuels :
- surmonter la solitude, la peur et l'isolement ;
- trouver une forme de soutien unique en son genre ;
- partager son expérience avec d'autres qui sont dans une situation semblable ;
- partager de l'information concernant les services disponibles ;
- offrir un endroit sûr, où exprimer ses sentiments ;
- développer ses facultés d'adaptation ;
- accroître son estime de soi.

Exemples d'objectifs collectifs :
- apprendre à s'encourager mutuellement et en tirer des leçons ;
- développer ses facultés d'adaptation ;
- partager des stratégies de résolution de problèmes ;
- surmonter les stigmates d'un diagnostic de cancer ;
- offrir des repères pour les moments où l'on se sent perdu et qu'on ne sait par où commencer ;

- étudier les ressources non traditionnelles ;
- aider les membres à reprendre leur vie en main ;
- offrir des moments de répit aux familles et aux personnes soignantes ;
- fournir un endroit sûr, fiable et accueillant, où la confidentialité est garantie ;
- sensibiliser la collectivité aux besoins des personnes en rémission prolongée.

Vos membres trouveront sûrement utile de discuter de certains de ces objectifs et de leur mise en pratique au sein du groupe. Votre liste pourra également vous aider à parler de ce dernier à des étrangers, à rédiger un article à son sujet pour un bulletin ou à en faire la promotion dans des prospectus ou sur des affiches.

LE CHOIX D'UN NOM

Une autre étape importante réside dans le choix d'un nom pour votre groupe. Celle-ci, tout comme l'adoption éventuelle d'un emblème ou d'un logo illustrant vos objectifs, est une autre façon de vous faire connaître de votre collectivité. Pour ce faire, ou encore pour revitaliser un groupe établi, les animateurs ont besoin du concours des membres. Le nom et le logo apparaîtront sur le bulletin, les prospectus et d'autres articles, comme des t-shirts faisant la promotion du groupe. Des adolescents ont opté pour *Lasting Impressions* [Impressions durables], en partie en guise de commentaire ironique sur les effets de la chimiothérapie, mais surtout pour exprimer leur désir de ne pas être oubliés et pour apporter leur contribution, sans s'arrêter à la question de leur longévité. Le groupe a aussi conçu son logo : deux mains jointes à l'intérieur d'un double cercle, et imprimé sur les t-shirts remis aux nouveaux membres. Ce logo résume visuellement ses autres objectifs — comme l'intimité et un soutien affectif.

Après avoir franchi ces premières étapes, les membres du groupe de base ou du comité organisateur devront décider s'ils veulent continuer à s'impliquer et, si tel est le cas, déterminer le rôle de chacun au sein du groupe.

L'ADHÉSION AU GROUPE : LES AVANTAGES ET LES PIÈGES DE LA DIVERSITÉ

Certains des enjeux et des satisfactions découlant de la participation à un groupe de lutte contre le cancer tiennent au fait qu'on apprend beaucoup des diverses expériences de la vie, par exemple :

- les causes de la maladie et les réactions au traitement ;
- les croyances relatives au rôle des professionnels de la santé et des organisations sanitaires, eu égard au processus de rétablissement ;
- les attitudes face à son corps ;
- les expériences précédentes de la maladie ou d'autres antécédents médicaux ;
- les opinions sur la souffrance, la douleur et les épreuves ;
- les croyances relatives aux systèmes de soutien, à la famille, aux amis, aux spécialistes et aux institutions ;
- les formes de soutien et le fait de savoir qui est responsable dudit soutien ;
- les sentiments engendrés par la nécessité de demander de l'aide ;
- les façons de parler et d'exprimer ses sentiments ;
- les façons de travailler en groupe ;
- les opinions relatives aux sujets qu'on peut ou non aborder.

Si vous voulez que votre groupe soit ouvert à tout le monde, vous devrez obtenir la participation de gens dont les antécédents et les expériences varient considérablement. Les divers stades du diagnostic et du traitement suscitent des perspectives différentes. Les jeunes, les personnes âgées, les hommes et les femmes apportent avec eux une multitude d'expériences qui enrichiront la culture du groupe. Les personnes à faible revenu, les hommes, les gais et les lesbiennes, les aînés et les personnes d'origine rurale ne fréquentent pas les groupes d'entraide autant que d'autres. Une étude a révélé[25] que les femmes sont environ quatre fois plus nombreuses que les hommes à adhérer aux groupes de soutien pour les personnes atteintes de cancer. D'autres catégories y sont également sous-représentées. Les gens de couleur, ceux à revenu modeste et les aînés[26], les personnes handicapées ou vivant à la campagne ont tous énormément de difficulté à trouver des groupes de soutien et des équipes thérapeutiques — et tout autant à y participer. On devrait donc s'intéresser tout particulièrement au sort de ces personnes et faire en sorte qu'elles aient moins de mal à trouver l'aide dont elles ont besoin et qu'elles désirent.

Des idées toutes simples, comme de servir des repas ou d'organiser des repas collectifs, permettent d'amener les gens à se renseigner sur les groupes de lutte contre le cancer. Dans le cas des membres de groupes minoritaires, on devrait leur donner l'occasion de discuter de sujets ayant une portée culturelle précise. Par ailleurs, on pourrait choisir un thème qui est commun à la plupart des groupes comme les moyens de surmonter les stigmates découlant à la fois du diagnostic de cancer et de l'obligation d'avoir à demander de l'aide.

Les parents qui ont des enfants en bas âge auront sûrement besoin d'un système de garde. Un service de transport ou un lieu de rencontre à proximité des arrêts d'autobus ou des stations de métro, d'accès facile pour les fauteuils roulants et les déambulateurs, des réunions tenues pendant la journée et des programmes axés sur des sujets spécifiques sont autant d'éléments qui ont beaucoup d'importance pour les personnes âgées et celles qui sont en rémission prolongée.

Demandez aux membres d'origine ou de culture différente ce qu'il conviendrait de faire pour mettre fin aux problèmes qu'ils ont pu rencontrer quand ils ont cherché un groupe ou voulu y adhérer. Lorsque vous faites la promotion de votre groupe ou qu'on vous demande de parler en public, n'oubliez pas d'inviter des membres de milieux différents à commenter les expériences du groupe. Si ce dernier prend soin d'être accueillant et est conscient des obstacles, les nouveaux venus reconnaîtront la sincérité de vos efforts pour leur venir en aide.

Une petite mise en garde. S'il est important d'essayer de répondre aux attentes du plus grand nombre et si la diversité peut grandement enrichir un groupe, la présence de membres dont les besoins sont simultanément variés et antagonistes ajoute parfois aux tensions. Des conflits peuvent éclater quand des groupes de personnes en rémission ont des exigences différentes. Il n'existe pas de bonne réponse ni de bonne méthode quand vient le temps de prendre des décisions à propos des besoins. Les membres des groupes de soutien devront réfléchir à ce qui convient le mieux pour leur association et être prêts à participer à une discussion franche et ouverte.

Dans certains cas, il pourra s'avérer judicieux de cibler un groupe extrêmement circonscrit. Les gens trouvent souvent que plus ils ont de points en commun avec les autres membres, plus ils se sentent à l'aise et acceptés, et moins ils sont forcés de perdre du temps à s'expliquer. Ainsi, les jeunes adultes — entre 18 et 30 ans — préfèrent fréquenter d'autres patients de leur âge. Il leur est plus facile d'échanger des informations sur les relations, la fécondité ou la sexualité avec des interlocuteurs qui affrontent des problèmes similaires, même si le siège du cancer varie de l'un à l'autre. Les hommes qui souffrent du cancer de la prostate et les femmes atteintes du cancer du sein aiment mieux faire partie de groupes organisés spécifiquement pour ce genre de tumeurs. Les jeunes femmes font souvent des pieds et des mains pour trouver un groupe dont les membres partageront leurs préoccupations. Les patients dont la maladie a atteint un stade avancé ou qui ont fait une rechute souhaitent sûrement eux aussi se retrouver avec leurs semblables. De tels groupes font souvent partie d'un ensemble plus vaste dont tous les membres se réunissent au début et à la fin des réunions, mais se répartissent en sections au moment des discussions.

RÉSUMÉ

1. Commencez par étudier votre territoire.
2. Apprenez quelles sont les étapes du développement du groupe.
3. Tenez un journal de bord.
4. Jumelez les compétences et les tâches à accomplir.
5. Déterminez le but et les objectifs du groupe.
6. Choisissez un nom.
7. Évaluez les différences entre les membres et sachez en tirer parti dans l'intérêt du groupe.

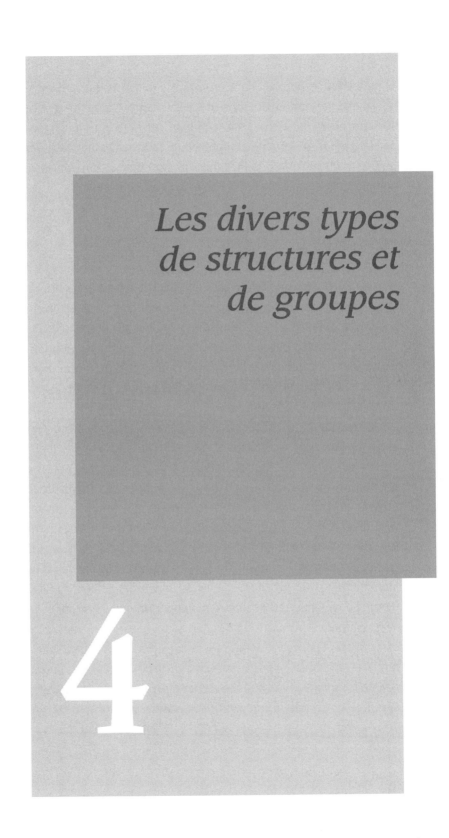

Les divers types de structures et de groupes

4

Vous devriez rechercher, dans un groupe d'entraide, une ambiance informelle, rassurante et empreinte d'empathie. Et il arrive que ce soit effectivement le cas. Mais la plupart des personnes engagées dans ce genre de groupe estiment qu'il faut beaucoup travailler pour parvenir à un équilibre entre la structure et la souplesse, compte tenu des besoins et de l'énergie des membres.

LES ADHÉRENTS

Ce sont les besoins des membres qui détermineront la nature du groupe. Ainsi, les patientes qui ont un cancer du sein se sentiront probablement plus à l'aise dans un groupe qui ne compte que des femmes, tandis qu'un autre destiné aux patients qui viennent d'être diagnostiqués et suivent une chimiothérapie accueillera hommes, femmes et jeunes adultes, quel que soit le siège de leur tumeur.

Quand un groupe accepte des adhérents touchés par divers types de cancer, ainsi, peut-être, que leurs proches et leurs amis, l'un de ses avantages tient au fait que tout le monde a la possibilité de rencontrer des patients parvenus à différents stades de la maladie et d'apprendre comment composer avec une grande variété de problèmes. En revanche, il est souvent plus difficile pour le groupe d'être soudé et d'apporter un soutien efficace lorsque les membres ont pour seul trait d'union un diagnostic de cancer. Plus leurs intérêts sont proches et plus les adhérents se lient rapidement et développent un sentiment d'appartenance au groupe. Le dénominateur commun sera l'âge, le sexe, le siège du cancer, le stade de la maladie, l'orientation sexuelle ou encore la filiation culturelle ou ethnique. Le fait d'avoir beaucoup de choses en commun amène les membres à se sentir davantage en confiance lorsqu'ils discutent entre eux de sujets intimes, comme la sexualité.

Je crois que le fait d'être tous des jeunes nous a davantage rapprochés que tout autre facteur. Je n'aurais pas aimé faire partie d'un groupe où tout le monde souffre de la même chose. Je voulais que mon cancer soit unique !

Dans certains groupes, l'uniformité du traitement sera l'élément de cohésion, tous les membres suivant une chimiothérapie ou une radiothérapie ou ayant subi une greffe de la moelle osseuse. Les groupes fondés sur le sexe sont habituellement réservés aux femmes atteintes d'un cancer du sein ou aux hommes ayant un cancer de la prostate.

QUAND LES MEMBRES EN SONT À DES STADES DIFFÉRENTS DE LA MALADIE

Il est très important de vous demander quel sera l'effectif ciblé : sera-t-il composé uniquement de patients récemment diagnostiqués ou comportera-t-il également des personnes rétablies, qui viennent de faire une rechute ou dont l'état s'est aggravé ? Pensez à ce qui pourrait arriver si des personnes qui viennent d'avoir leur diagnostic en côtoyaient d'autres dont le cancer est évolutif ou qui sont gagnées par des métastases. Les premières sont généralement avides d'informations et ont besoin d'être rassurées sur les possibilités d'une rémission prolongée[27]. Or, d'une part, il est difficile d'avoir un groupe unifié quand l'un des adhérents lutte contre un cancer avancé ou est en phase terminale ; mais, de l'autre, cela peut amener le reste des membres à bien comprendre la gravité de leur situation.

Les patients de longue date, qui ont appris à faire front et ont adopté une attitude positive face au cancer — surtout ceux qui mènent une vie normale en dépit d'une maladie évolutive —, sont parfois une source d'inspiration pour ceux qui se trouvent devant des choix difficiles quant à leur style de vie. En revanche, certains d'entre eux considèrent qu'ils n'ont pas grand-chose à attendre des patients récemment diagnostiqués et inexpérimentés. Ou ils chercheront à préserver leurs coéquipiers de l'affliction et de la peur de la mort[28]. Une fois de plus, il n'existe pas de bon ou de mauvais choix en matière de ciblage, dans le cas des groupes de lutte contre le cancer. C'est une question qu'il appartient à chacun d'étudier et de résoudre, en se fondant sur ses besoins et ses capacités.

Votre groupe pourrait régler le problème en s'en tenant à une brève mise au point : *Nous tentons de fonder un groupe où les personnes atteintes de cancer seront les bienvenues, se sentiront en sécurité et pourront parler librement de leur vie avec cette maladie. Je me demande comment il pourra aider des membres qui en sont à des stades différents. Y en a-t-il parmi vous qui peuvent nous proposer des solutions ?*

Une discussion sur le sujet donnera l'occasion au groupe d'étudier les suggestions relatives à la création d'un lieu ouvert à tous, même s'il s'ensuit que quelques-uns préféreront se réunir à part de temps à autre.

Lors d'une réunion du groupe de soutien, une femme nous a parlé des conséquences d'une rechute sur son quotidien. Une autre adhérente, récemment diagnostiquée, venait tout juste de se joindre à nous. Quand la première intervenante s'est tue, les membres du groupe lui ont offert leur soutien, puis l'animatrice s'est tournée vers la nouvelle venue : « J'imagine que cela a dû vous être pénible d'entendre ce récit dès votre première réunion. » Cette remarque a suscité une discussion sur les difficultés de l'écoute et de l'exposé.

Un animateur social attaché à un centre de soins palliatifs demanda à un groupe s'il accepterait une jeune femme dont le cancer du sein s'était aggravé. Le premier réflexe de l'animatrice fut de se dire : « Oh ! non ! Il ne va pas m'envoyer quelqu'un en phase terminale ! » Après en avoir discuté, le groupe décida d'accepter la jeune femme. Car, comme le déclara l'une des participantes : « Je serais bien contente qu'on me laisse revenir dans ce groupe si j'étais en phase terminale. Si quelqu'un veut se joindre à nous, nous devrions l'accueillir à bras ouverts. »

Si vous-même et votre comité organisateur ou vos membres n'arrivez pas à vous entendre sur la question, faites appel à un professionnel, comme un travailleur social, une infirmière ou un psychologue, qui a l'expérience des groupes de lutte contre le cancer.

LES DIFFÉRENTS GROUPES

Comme il existe différents groupes d'entraide, votre planification dépendra de ce dont votre collectivité a réellement besoin. Voici les choix qui s'offrent à vous.

LES GROUPES FERMÉS OU LIMITÉS DANS LE TEMPS

Certains groupes d'entraide peuvent imposer des restrictions au chapitre de la durée ou des adhésions, surtout lorsqu'ils sont affiliés à un hôpital ou à un centre de traitement. Habituellement, ils abordent un sujet précis à chacune de leurs réunions, comme l'alimentation, les options en matière de traitement, les techniques d'autogestion de la santé ou la méditation. On les qualifiera de groupes d'entraide s'ils sont dirigés par et pour des personnes en rémission prolongée et que ce sont elles qui prennent les décisions. Ils durent généralement de six à douze semaines et n'acceptent pas de nouveaux membres après la deuxième réunion.

Il est parfois pénible d'avoir à refuser du monde à partir de la troisième rencontre. Néanmoins, les membres comprennent aisément que c'est uniquement pour préserver le climat de confiance et de cohésion qui s'instaure rapidement. L'accent est souvent mis sur l'éducation ou sur l'acquisition des habiletés d'adaptation par les patients récemment diagnostiqués. Bien souvent, un groupe de ce genre peut compter sur un animateur chevronné qui est lui-même un patient de longue date, ou encore il sera animé conjointement par un professionnel aidant et par une personne rétablie. S'il s'adresse aux membres d'une culture ou d'une ethnie particulière, comme les femmes de couleur ou les autochtones, au moins l'un des coanimateurs devra appartenir à cette culture ou à cette ethnie. Et s'il fait appel à un professionnel pour l'aider à démarrer, celui-ci devra faire équipe avec un membre du groupe ciblé.

Les groupes fermés peuvent se concentrer sur l'apprentissage d'une habileté donnée, comme celles décrites au chapitre 10, « Le voyage vers le rétablissement », ou s'attacher à offrir un soutien — le plus souvent à l'intention des personnes nouvellement diagnostiquées. En règle générale, ils réussissent à créer très rapidement un climat de sécurité et d'intimité pour leurs membres. L'une et l'autre sont parfois plus faciles à instaurer lorsqu'on sait qui sera présent à chaque réunion et quelle sera la durée du groupe. Les membres peuvent également éprouver un même intérêt pour l'acquisition d'une habileté particulière. Des problèmes risquent toutefois de surgir au moment de la dissolution du groupe, alors que certains adhérents ressentent le besoin de rester unis.

À la fin, nous parlions uniquement de financement — pourrait-on, par exemple, maintenir le groupe en versant une cotisation. Nous voulions vraiment tous continuer au-delà de l'échéance, mais ils ont dit que c'était impossible. Alors, nous avons dû laisser tomber. Je voulais leur téléphoner, mais on dirait que la distance entre nous est trop grande, maintenant.

Les personnes qui participent à des séances fermées ou limitées dans le temps peuvent décider de se retrouver après la fin du premier groupe ou choisir de se joindre à un groupe ouvert qui se réunit régulièrement.

LES GROUPES OUVERTS

C'est là la formule la plus fréquente parmi les groupes d'entraide. Les membres se réunissent sur une base régulière — chaque semaine ou une ou deux fois par mois — et les séances se déroulent sans cérémonie. Même si les membres ne sont pas toujours les mêmes d'une réunion à l'autre, il y a généralement un groupe central qui est toujours présent. Un ou deux membres font office d'animateurs, tandis que d'autres se chargent d'accueillir à la porte les nouveaux venus ou les anciens qui sont de retour. D'autres encore répondent au téléphone, préparent la salle de réunion, s'occupent du bulletin ou de la publicité.

Bien souvent, tous les membres dressent ensemble la liste des conférenciers à inviter et décident de la répartition des tâches ou des thèmes de discussion. Pendant la réunion, une période est prévue pour des sujets sans rapport avec l'entraide, mais le groupe se réserve toujours un moment pour un débat collectif et pour se soutenir mutuellement. La raison d'être du groupe est résumée au début de la réunion afin que les nouveaux venus sachent à quoi s'en tenir.

Les groupes ouverts acceptent continuellement de nouveaux membres, ce qui peut s'avérer d'un grand secours pour les personnes qui viennent d'apprendre le diagnostic et dont les besoins sont urgents. À mesure qu'ils progressent dans leur démarche, les membres réguliers développent souvent des rapports de plus en plus étroits et risquent donc d'être moins enclins à accueillir des nouveaux. Pour maintenir l'efficacité d'un groupe ouvert, il importe d'évaluer de temps à autre dans quelle mesure celui-ci répond aux besoins de ses membres. Les groupes qui s'évaluent régulièrement et procèdent à de fréquentes séances d'information ou d'éducation ont plus de chances de demeurer efficaces. Vos membres pourront s'inspirer du formulaire d'évaluation de la p. 61.

Bien qu'il n'existe pas énormément de données permettant de savoir si ce sont les groupes ouverts ou les groupes fermés qui satisfont le mieux aux besoins des membres, il est tout de même avéré que la cohésion, le soutien et l'entraide sont plus difficiles à instaurer lorsque les adhérents se contentent de passer à l'improviste. Et, comme nous l'avons déjà souligné, des recherches menées auprès d'hommes atteints de cancer ont révélé que l'appui social, qui est une caractéristique des groupes d'entraide, ne convient pas toujours dans leur cas. Il semblerait que les membres masculins sont davantage attirés par des groupes plus structurés, limités dans le temps et qui mettent l'accent sur l'éducation ou sur la diffusion des informations.

LA DIMENSION DU GROUPE

On sait que les discussions sont plus fructueuses lorsque le nombre des participants ne dépasse pas six ou huit. Néanmoins, on tient pour acceptable une fourchette allant de cinq à douze membres. Avec moins de quatre adhérents, le groupe ne peut pas faire grand-chose et, avec plus de dix, l'étude des cas individuels devient plus compliquée.

Cela ne signifie pourtant pas que votre groupe ne peut se réunir s'il ne compte pas suffisamment de membres, mais plutôt que vous devriez peut-être envisager de vous joindre de temps en temps à un autre groupe de votre secteur. Le vôtre pourra ainsi conserver sa propre identité, tout en profitant de ces échanges occasionnels.

Si plus d'une douzaine de personnes participent régulièrement à vos rencontres, pensez à la possibilité de constituer des sous-groupes pour les discussions consacrées aux formes d'appui, tout le monde se retrouvant au début et à la fin des réunions.

ÉVALUATION DU DEGRÉ DE SATISFACTION

Date :

1. Comment avez-vous entendu parler du groupe ?

   par un ami / par un professionnel aidant / dans les journaux / autre

2. Est-ce là votre première réunion ? Oui / Non

3. Assisterez-vous à d'autres réunions ? Oui / Non

4. Veuillez évaluer les aspects suivants de la réunion :

	très satisfaisant	plus ou moins satisfaisant	insatisfaisant
Structure			
Organisation			
Durée			
Possibilité d'intervenir			
Heure			
Endroit			

5. Dans quelle mesure le groupe vous a-t-il aidé ?

   pas du tout / plus ou moins / beaucoup / énormément

6. Décrivez brièvement ce qui vous a le plus aidé :

7. Le groupe vous a-t-il apporté ce que vous espériez y trouver ?

8. Qu'avez-vous préféré à propos du groupe ?

9. Qu'avez-vous le moins apprécié ?

10. Vous sentez-vous différent du fait de votre adhésion au groupe ? Oui / Non

    Si oui, dans quels domaines ?

11. Avez-vous modifié certains de vos comportements, habitudes ou manières d'être depuis votre adhésion ? Oui / Non

    Si oui, lesquels ?

12. Avez-vous des remarques ou des suggestions à faire pour de futurs groupes et/ou en vue d'apporter des améliorations ?

Reproduit avec l'autorisation de *Guidelines on Support and Self-Help Groups*, American Cancer Society, Atlanta, Georgia (1994).

LES BESOINS FONDAMENTAUX
D'UN GROUPE[29]

Ainsi que nous l'avons déjà mentionné, les groupes diffèrent tous les uns des autres et il n'existe pas de bonne ou de mauvaise façon d'en fonder ou d'en diriger un. Cela dit, si un groupe souhaite offrir à ses membres un endroit parfaitement « sûr », où ceux-ci pourront exprimer leurs besoins et leurs préoccupations, il devra trouver le moyen de leur garantir les conditions suivantes :

- le respect des différences ;
- une confiance mutuelle ;
- une communication ouverte ;
- un processus décisionnel équitable ;
- des objectifs communs ;
- des méthodes constructives de solution des conflits ;
- le maintien de l'estime de soi ;
- la participation de tous ;
- une attention portée au contenu (ce qui fait l'objet des discussions) et à la démarche (le comportement des membres, leur façon de réagir).

Un minimum de structures peut contribuer à consolider l'esprit de collaboration qui fait qu'un groupe représente un véritable refuge pour tous ses membres. Un groupe de soutien pour des personnes souffrant d'un cancer du sein n'avait ni structure, ni animatrice, ni lignes directrices déterminant son fonctionnement, ce qui a suscité ce commentaire d'une de ses adhérentes : « Les femmes ne faisaient rien d'autre que se plaindre et pleurer, et il y en avait une qui n'arrêtait pas de parler[30]. »

LES CONVENTIONS

La plupart des groupes de soutien jugent profitable d'adopter quelques règles de base pour leur fonctionnement. Celles-ci ont pour but de leur assurer un cadre fondé sur l'échange et l'enseignement mutuel, sûr, informel et néanmoins structuré. Les gens adhèrent à ces groupes pour de multiples raisons et, grâce à des règles simples, on sera certain que les besoins de chacun seront pris en compte et que le groupe ne s'écartera pas de ses priorités. Les conventions définissent des comportements collectifs acceptables ; elles aident à prévenir des commentaires ou des actes blessants et à limiter les récriminations incessantes.

Les animateurs peuvent préparer un projet de convention ou de normes au moment de la formation du groupe et le soumettre à tout le monde lors de la première réunion, l'un d'eux le présentant, par exemple, en ces termes : « Si nous voulons tirer le maximum de ce groupe, nous avons besoin d'un minimum de règles ou d'une convention qui faciliteront le rapprochement entre nous. D'autres groupes se sont fixé les règles suivantes : commencer et terminer les réunions à l'heure dite ; prendre la parole à tour de rôle ; partager ses pensées, mais sans être forcés de parler ; ce qui se dit dans le groupe ne sort pas du groupe. » Avec une convention, les animateurs n'ont pas à recourir à des sanctions ou à user d'autorité ; il leur suffit de rappeler aux membres qu'ils l'ont tous acceptée. Dans le cas d'un groupe ouvert, il serait bon que l'animateur en rappelle la teneur au début de chaque réunion, à l'intention des nouveaux adhérents. Il peut aussi demander à un membre d'en revoir les divers points à l'occasion.

Il arrive que des nouveaux venus suggèrent des ajouts qui devront alors recevoir l'assentiment des plus anciens. Tâchez d'adopter des règles simples et faciles à se rappeler, ce qui vous évitera d'avoir à les écrire. Votre groupe s'efforce de créer une ambiance intime et accueillante. Ne le bombardez pas de règles, sinon vous perdrez des joueurs.

J'essaie de ne pas pousser les membres à suivre des directions que j'ai choisies ou qu'ils pensent que j'aurais pu choisir[31].

Si votre groupe ne s'est pas doté d'une convention et que vous avez du mal à atteindre vos objectifs ou que vous avez des difficultés avec des membres au comportement pénible, il serait peut-être bon de tenir une franche discussion sur l'adoption d'une convention, laquelle pourrait comporter les éléments suivants :

1. Ce qui se dit aux réunions de soutien est confidentiel. Ce qui se discute en groupe ne sort pas du groupe. Aucun renseignement identificateur ne peut être transmis à l'extérieur du groupe.

2. On ne porte pas de jugements sur les autres. L'objectif du groupe est à la fois de donner et de recevoir de l'appui et des informations.

3. On accorde toute son attention à la personne qui a la parole. Quelqu'un parle et tout le monde l'écoute. Il n'y a ni interruptions ni apartés.

4. On parle de son expérience personnelle et non de celles des autres.

5. On ne force personne à parler de ses sentiments ou de ses expériences.

6. Les réunions se tiennent régulièrement, dans un endroit non-fumeurs, bien aménagé et d'un accès facile. Il n'y a pas de frais.

7. Les réunions débutent et se terminent à l'heure dite.

8. Les membres sont libres de venir et de partir quand ils le veulent, et ne sont pas tenus d'assister aux réunions. On les encourage toutefois à donner leurs impressions sur le groupe lorsqu'ils décident de le quitter.

CONFIDENTIALITÉ ET ANONYMAT

Dans une réunion à caractère anonyme, les gens sont libres de se nommer ou non. Cela peut s'avérer très important lorsque les membres ne tiennent pas à révéler les détails de leur diagnostic. D'autres groupes sont moins sensibles à cet aspect des choses, mais il ne faut pas oublier que le cancer a été longtemps stigmatisé, en particulier dans certaines cultures.

CONSEIL PRATIQUE

Il existe une exception à la règle sur la confidentialité et c'est devant le risque que présente un comportement autodestructeur ou suicidaire. Si le cas survient pendant une réunion, des membres peuvent prendre la personne concernée à part pour discuter avec elle et lui conseiller une aide appropriée ; on pourra également prévenir la famille ou des amis, de préférence après en avoir avisé cette personne.

La confidentialité consiste à garder le silence sur ce qui se passe et se dit pendant une réunion. Mais comme cette consigne fait souvent l'objet de multiples interprétations, il est primordial de bien préciser ce que votre groupe tient à garder confidentiel. La plupart des groupes demandent à leurs membres de ne rien révéler de ce qu'ils auront vu et entendu pendant les réunions. Quelques-uns sont moins rigoureux et laissent leurs adhérents libres d'en parler à des non-membres, du moment qu'ils ne disent rien qui serait susceptible de permettre l'identification des personnes en cause. Dans d'autres groupes, la question de la confidentialité ne se pose pas.

Cette consigne vaut pour les réunions des groupes d'entraide, mais il va de soi que si vous invitez le public à une soirée éducative ou de financement, vous tiendrez à ce que tout le monde répète ce qui s'y sera dit.

L'ORGANISATION

L'aménagement d'un cadre propre à instaurer une ambiance intime et chaleureuse suppose que le groupe se retrouve aux mêmes heures et au même endroit, dans une salle où les sièges sont toujours disposés de la même façon. La disposition en cercle est la meilleure, parce que les membres peuvent se voir aisément, sans aucun obstacle. Mais ce qui compte encore plus, c'est de les amener à se sentir concernés et à avoir clairement conscience de leur appartenance au groupe. Les animateurs devraient s'efforcer de conserver la même routine au début et à la fin des réunions. De nombreux groupes ont l'habitude, par exemple, de commencer la rencontre par un tour de table : l'animateur parle brièvement de son expérience avec le cancer, puis invite les membres à résumer leur diagnostic, à dire comment ils vont depuis la dernière réunion et à préciser en quelques mots ce qu'ils attendent de celle-ci. Si cette entrée en matière se répète au début de chaque réunion, les nouveaux adhérents s'y habitueront rapidement et s'inquiéteront moins de celles qui suivront.

Certains groupes fonctionnent volontairement au ralenti, au moment de leur création et tant que leurs structures ne sont pas en place. Voyez avec quelques membres et avec le comité organisateur comment prévoir des périodes pour les affaires internes, l'éducation, le soutien, des discussions libres, la planification du programme, etc. Le fait d'avoir des thèmes précis qui permettront aux membres d'accroître continuellement leurs connaissances contribuera à empêcher votre groupe de se scléroser.

LES GROUPES STRUCTURÉS

Les groupes structurés suivent généralement un ordre du jour avec un thème précis, suivi d'une période de questions et d'une discussion à laquelle tout le monde participe. Ce sont les membres qui choisissent les sujets et conviennent des conférenciers à inviter.

D'après une étude[32], les hommes préfèrent les groupes d'entraide qui ont un programme structuré et qui privilégient l'information et l'éducation. Des interventions en bonne et due forme, consacrées au diagnostic, au traitement et aux effets secondaires leur conviennent parfaitement et stimulent leur intérêt. Par contre, si le groupe se consacre uniquement à l'information et à l'éducation, les membres auront beau jeu de cacher leurs sentiments. Les réunions doivent donc maintenir un certain équilibre entre le temps dévolu à l'information et celui réservé aux discussions sur les conséquences émotionnelles, spirituelles et sociales du cancer.

LES GROUPES NON STRUCTURÉS

Dans ce genre de groupe, on procède le plus souvent à un rapide « tour de table » pendant lequel les membres se présentent *brièvement* l'un après l'autre et indiquent ce qu'ils attendent de la réunion. Il y a généralement des co-animateurs qui les aident à participer et empêchent les discussions de s'éparpiller. D'ailleurs, celles-ci sont habituellement spontanées, n'importe quel sujet étant abordé comme il vient. Les animateurs doivent avoir l'expérience des groupes et s'appuyer sur des lignes directrices pour éviter les émotions trop fortes et les comportements inadéquats.

> ## RÉSUMÉ
> 1. Réfléchissez à la nature des adhérents, y compris à la façon de fonctionner avec un groupe comprenant des personnes nouvellement diagnostiquées et d'autres dont le cancer est plus ou moins avancé.

2. Voyez quel genre de groupe (ouvert ou fermé) conviendra le mieux à vos membres.
3. Préparez un projet de convention ou de lignes directrices, qui sera discuté par tout le monde.
4. Décidez du type d'organisation (structurée ou non).

La préparation des premières réunions

5

Avant de tenir des réunions d'entraide, bon nombre de groupes de lutte contre le cancer commencent par organiser une rencontre à laquelle le monde est invité. Cette première assemblée publique devrait consacrer une *courte* période au soutien, parce que l'entraide doit débuter aussitôt si vous ne voulez pas voir la salle se vider partiellement. Lors de la rédaction des affiches ou autres supports annonçant la réunion, prenez soin de bien préciser que celle-ci portera *sur* la création d'un groupe et qu'une première rencontre destinée aux seuls membres aura lieu à une date ultérieure.

FAITES CONNAÎTRE VOTRE GROUPE

Il n'est pas toujours facile de fonder un groupe d'entraide et le recrutement des membres peut prendre un certain temps. Voici quelques suggestions qui vous aideront à annoncer vos réunions.

- Publiez une annonce dans la section (gratuite) des activités communautaires de votre journal local.
- Envoyez des avis aux postes de radio ou de télévision par câble.
- Prévoyez, pour les collectivités mal desservies, des avis dans les bulletins et des affiches dans les centres culturels, les épiceries, les écoles et les églises fréquentés par les personnes que vous voulez atteindre.
- Organisez des rencontres avec le personnel des cliniques ou des centres médicaux afin d'expliquer votre projet.
- Parlez-en aussi aux représentants communautaires d'autres cultures. Ne vous étonnez pas si les gens ne répondent pas tout de suite à votre invitation. Il faut

du temps et beaucoup d'efforts pour établir de nouvelles relations.

Que vous organisiez cette réunion pour lancer un groupe d'entraide ou, s'il se réunit déjà régulièrement, pour diffuser des renseignements sur ses activités, faites en sorte que votre message soit simple, amical et accueillant. Celui-ci devrait comporter les éléments suivants :

- POURQUOI tenez-vous cette réunion ?
- QUI y est invité ? Uniquement les personnes atteintes de cancer ou également les proches, les amis et le grand public ? Les patients récemment diagnostiqués ou tous les autres ? Ciblez-vous un certain type de cancer, comme celui du sein ou de la prostate ? Faut-il en déduire que vous n'accepterez que des hommes ou seulement des femmes ? Les médecins, infirmières et autres dispensateurs de soins sont-ils invités, eux aussi ?
- OÙ la réunion a-t-elle lieu ? Indiquez clairement comment trouver la salle. Ce serait d'ailleurs une bonne idée d'afficher un plan simple et de bonne dimension.
- QUAND la réunion a-t-elle lieu ? Précisez à quelle heure elle débutera et se terminera — et assurez-vous de commencer et de finir effectivement à l'heure dite. Si vous prévoyez une période pendant laquelle vos invités pourront bavarder entre eux, indiquez-le sur votre affiche. De cette façon, ceux que l'on doit venir chercher ne manqueront rien.
- Inscrivez le prénom (uniquement) de la personne-ressource et son numéro de téléphone.

L'ASSEMBLÉE PUBLIQUE

Si vous débutez par une assemblée publique où l'on discutera de votre projet, c'est pour éveiller l'intérêt des participants et trouver des gens qui accepteront de se joindre à vous ou de vous aider à fonder votre groupe. Il est donc important d'inviter des personnes qui travaillent dans des centres de traitement du cancer, des cliniques et des cabinets de chirurgien — ce sont souvent elles qui recommanderont votre groupe à leurs patients. Ce genre de rencontre communautaire répond à plusieurs objectifs :

- elle réunit des personnes désireuses de travailler sur des sujets ayant un lien avec le cancer ;
- elle vous permet d'en apprendre davantage sur les services connexes ;
- elle renseigne la population sur les besoins en matière de soutien requis par ceux qui sont atteints d'un cancer ;
- elle vous renseigne sur les attentes de ces mêmes personnes ;
- elle est une source d'intérêt, d'énergie et d'enthousiasme.

Il faut, bien sûr, penser à beaucoup de choses quand on prépare une première réunion : trouver une salle convenable, faire circuler l'information, préparer les documents imprimés ou trouver du matériel éducatif, inviter un conférencier, et bien d'autres encore. Chacun des membres de votre comité organisateur pourra se charger d'une ou deux de ces tâches.

CIBLEZ VOS ADHÉRENTS

Si votre groupe a l'intention d'être fermé, donc limité dans le temps et axé par exemple, sur un programme de huit à dix semaines consacrées aux habiletés et à l'éducation, vous devez aviser les éventuels participants du moment où cette formule entrera en vigueur et leur expliquer pourquoi. Réfléchissez également au genre de personnes qui pourraient se joindre à vous et à leurs motivations.

Si les réunions ne sont destinées qu'aux patients et aux personnes rétablies, tâchez de prévoir un lieu de rencontre distinct pour les proches et les amis des premiers, à l'écart des secondes. Établissez à leur intention un calendrier de réunions et arrangez-vous pour être présent au début ou à la fin de celles-ci. Il est vrai que les proches et amis ont des besoins importants, mais les personnes atteintes de cancer ont souvent du mal à se montrer ouvertes avec eux dans le cadre d'une réunion commune. En ayant droit à des salles distinctes, les deux groupes seront plus à l'aise pour parler ouvertement.

Les réunions d'un groupe de patients atteints d'un cancer de la prostate rassemblent pour les premières minutes les membres avec leur conjointe ou leur épouse ; après quoi, les deux groupes se séparent, ce qui favorise la spontanéité des échanges, personne n'ayant plus à se soucier d'être surveillé par son conjoint ou de lui être un fardeau.

N'oubliez pas que, dans certaines cultures, les femmes n'ont pas le droit d'assister à des réunions sans leur mari ou un parent. Si celles-ci font partie de votre clientèle cible, prenez les dispositions nécessaires pour que le parent ou le mari soit également présent.

COMMENT DÉCIDER DE L'ENDROIT ET DE L'HEURE DES RÉUNIONS

Tâchez tout d'abord de trouver un endroit gratuit — pensez à la bibliothèque locale, au sous-sol d'une église, au centre communautaire ou aux services sociaux — en essayant surtout d'éviter l'hôpital ou le centre de traitement. La plupart des patients et des personnes rétablies préfèrent s'y rendre uniquement lorsque c'est indispensable. Privilégiez également un endroit accessible aux fauteuils roulants, à proximité d'un point d'arrêt des transports publics et avec un stationnement sécuritaire qui soit gratuit ou à tarif réduit.

Avant de choisir un endroit et de fixer une heure, réfléchissez aux particularités des gens que vous voulez atteindre. Il existe des organismes commanditant des groupes de soutien qui se réunissent à l'heure du déjeuner, afin d'aider les adhérents qui travaillent. Si votre clientèle cible se compose de patients âgés, pensez à tenir les réunions dans la journée, tout près de lignes d'autobus empruntant des rues bien éclairées dans des quartiers sécuritaires. En principe, les rencontres devraient durer une heure et demie ou deux, tout au plus. Par ailleurs, les gens se rappellent plus facilement l'heure des réunions quand celles-ci ont toujours lieu au même endroit et au même moment, comme le premier lundi du mois.

COMMENT CHOISIR UNE SALLE

N'attendez pas d'une salle de réunion qu'elle soit parfaite, le cas étant plutôt rare ; néanmoins, celle que vous choisirez devra être :

- confortable (les participants auront énormément de mal à être attentifs et encore plus à se confier leurs sentiments ou à raconter des anecdotes personnelles dans une salle qui est trop ou pas assez chauffée, dont les chaises sont dures ou trop basses, qui est bruyante et où il y a beaucoup de passage !) ;
- propre, sécuritaire, où il est interdit de fumer et qui est bien éclairée le soir ;
- privée ;
- pas trop grande, mais suffisamment pour que les gens puissent circuler sans se cogner les uns dans les autres ;

- disponible à long terme ;
- proche de toilettes propres et bien aménagées.

Avant de réserver la salle, vérifiez les points suivants :

- les clés : qui est chargé de fermer les portes à clé ?
- l'aménagement : est-ce vous qui devrez vous occuper des chaises et des autres accessoires avant ou après les réunions ?
- la disponibilité : selon quel horaire pouvez-vous disposer de la salle ? Faut-il que tout le monde soit parti à une heure précise ? Qu'en est-il si la réunion se prolonge ou si des membres restent à bavarder plus tard que l'heure prévue ?

Quelle que soit la salle que vous choisirez, il serait bon que les premières réunions, à tout le moins, aient lieu au même endroit afin de créer une certaine habitude.

LE MATÉRIEL

Pour les réunions, vous aurez besoin, entre autres choses, du matériel suivant :

- un bloc-notes ou des feuilles de présence avec des espaces pour les noms, adresses et numéros de téléphone ;
- des stylos ;
- des panneaux fléchés installés dans le bâtiment, si besoin est ;
- des insignes d'identité, réutilisables si possible, et ne portant que les prénoms ;
- un tableau à feuilles mobiles, du papier et des marqueurs ;
- des dépliants ou des brochures ;
- des rafraîchissements, si les membres sont d'accord.

LA PREMIÈRE RÉUNION

Lors de la première réunion, demandez aux personnes présentes de vous laisser leurs nom et adresse si elles ont l'intention d'adhérer au groupe d'entraide. Si la rencontre suivante est déjà prévue, distribuez-leur des feuillets portant la date, l'heure et l'endroit.

CONSEILS PRATIQUES

Voici quelques conseils dont vous pourrez vous inspirer autant pour votre première assemblée publique que pour la première réunion de votre groupe d'entraide :

- Si vous le pouvez, commencez par assister à des réunions du même genre ou discutez de cette question avec des personnes rétablies ou des patients qui en ont déjà organisé.
- Arrivez de bonne heure pour accueillir les participants. Votre comité organisateur devra être prêt à répondre aux questions, à distribuer les insignes d'identité et à présenter les personnes présentes.
- Installez près de la porte une table avec quelques rafraîchissements et du matériel imprimé, tel que brochures, bulletin ou autres documents à distribuer. Demandez aux gens de laisser leurs coordonnées s'ils veulent rester en contact avec le groupe après la réunion.
- Installez les chaises en cercle de préférence, pour que tout le monde puisse se voir. Le contact visuel favorise la communication. Laissez un passage entre les chaises pour permettre aux participants de prendre place sans encombre.
- Commencez à l'heure. C'est là une preuve de respect pour ceux qui sont arrivés à temps.

- Maintenez une ambiance accueillante, informelle et chaleureuse. Ce n'est ni une séance de travail ni une réunion professionnelle. La première impression est primordiale ; il est essentiel que les participants sentent qu'ils sont les bienvenus et qu'on se soucie d'eux.
- Ne perdez pas de vue les buts de la réunion : amener les participants à lier connaissance avec d'autres personnes aux prises avec le cancer ; inciter tout le monde à donner son avis sur l'orientation et les activités du groupe ; instaurer un climat propice à la participation, au respect mutuel et à des échanges francs et ouverts.
- Inscrivez à l'avance le plan ou l'ordre du jour de la réunion sur le tableau à feuilles mobiles. Placez-le bien en vue et demandez si quelqu'un veut ajouter d'autres points. Si tel est le cas, soyez prêt à modifier votre ordre du jour en conséquence. Rappelez-vous que celui-ci n'est là qu'à titre indicatif. Évitez de mener la réunion tambour battant, dans le seul but de couvrir tous les points. Il s'agit de susciter des échanges et non de remporter une course.

EXEMPLE D'ORDRE DU JOUR POUR LA PREMIÈRE ASSEMBLÉE PUBLIQUE

- Souhaitez la bienvenue aux personnes présentes et présentez-vous ainsi que vos collègues.
- Expliquez le but de la réunion.
- Résumez les débats et clarifiez les accords conclus.
- Annoncez le thème de la prochaine réunion.

- Remerciez les participants et terminez à l'heure prévue.

Nous avons souvent une pause-café assez longue, de 30 ou 40 minutes, pendant laquelle les conversations peuvent s'avérer particulièrement enrichissantes.

EXEMPLE DE RÉUNION POUR UN GROUPE D'ENTRAIDE

L'entraide doit se manifester dès la première réunion, sinon vous perdrez du monde. Les personnes qui en sont à leur première rencontre du genre se sentent souvent très vulnérables et elles espèrent que le groupe pourra soulager un tant soit peu la peur et l'incertitude contre lesquelles elles ont lutté toutes seules. Le besoin d'obtenir de l'aide et des informations devient facilement insupportable quand on n'a trouvé personne à qui parler. Cette rencontre avec le groupe d'entraide est parfois la première occasion qui leur est donnée de parler ouvertement du diagnostic et du traitement. D'où l'importance pour le groupe central ou le comité organisateur de bien planifier la réunion.

PLAN DE LA RÉUNION

1. Débutez à l'heure dite.
2. Les animateurs se présentent et expliquent leur rôle. Vous devez être bref et éviter les digressions. Ce faisant, vous montrez aux autres comment procéder.
3. Exposez les buts et objectifs définis par le groupe central ou lors de l'assemblée publique.
4. Expliquez le type de structure, qu'il s'agisse d'un groupe ouvert où les membres viennent et partent à leur gré ou d'un groupe fermé, limité dans le temps et auquel les nouveaux membres participent jusqu'à sa dissolution.
5. Chargez les animateurs d'expliquer les normes et

conventions du groupe (code de comportement).

6. Incitez les personnes présentes à participer à la discussion générale. Vous pourriez, pour la première réunion, proposer un thème — faire face au diagnostic, par exemple — et demander à tout le monde de s'exprimer.

7. Votre groupe ayant besoin d'une identité officielle, le choix d'un nom amènera les membres à faire connaissance et à se familiariser avec le processus décisionnel.

8. N'essayez pas de régler les questions d'organisation, comme le leadership, le financement, la constitution en association, etc., dès la première réunion. Concentrez-vous sur l'entraide.

9. Terminez la réunion en en soulignant l'importance. Vous pouvez adopter un rituel de clôture simple et efficace, comme un bref tour de table où chacun devra décrire son expérience en un seul mot ou encore une minute de silence.

10. Si le groupe est d'accord, servez des rafraîchissements avant ou après la rencontre, et laissez les membres bavarder un moment avant de s'en aller.

NOTE

L'idée des rafraîchissements ne fait pas l'unanimité parmi les groupes. Le fait d'avoir des gens qui mangent ou qui circulent pendant les discussions est une source de distraction. Des problèmes peuvent également surgir s'il y a des cas d'allergie ou des interdits alimentaires. Des jus, du thé, du café ou de l'eau devraient suffire. Pour le reste, laissez le groupe en décider.

LA FRÉQUENCE DES RÉUNIONS

La fréquence des réunions dépend des besoins des membres et de la disponibilité des animateurs. Des rencontres hebdomadaires renforcent la cohésion et la continuité, surtout chez les patients récemment diagnostiqués ou qui suivent un traitement également hebdomadaire. Dans les cas des personnes qui ont fait une rechute, des réunions fréquentes contribueront à satisfaire le pressant besoin de côtoyer d'autres patients qui vivent la même chose. Elles peuvent aussi être d'un grand secours dans les régions rurales où le groupe est parfois l'unique source de soutien.

Certains groupes se satisfont d'une rencontre mensuelle, alors que, chez d'autres, les membres risquent de se sentir coupés les uns des autres et auront besoin, chaque mois, d'un moment pour refaire connaissance. Des réunions bimensuelles représentent un compromis qui peut aider les membres à rester liés et permettre aux nouveaux de s'intégrer rapidement.

LA GARDE DES ENFANTS

Les parents d'enfants en bas âge auront peut-être du mal à assister aux réunions. Si votre groupe en a les moyens, renseignez-vous sur les possibilités de transformer une autre salle en garderie, le temps des réunions.

Insistez pour que les parents vous téléphonent bien avant les réunions, afin que vous ayez une idée du nombre d'enfants à faire garder. Assurez-vous que les personnes qui en prendront soin sont compétentes, sont connues du groupe et qu'elles savent où la réunion a lieu.

LES MOYENS DE TRANSPORT

Le fait d'annoncer les réunions suffisamment à l'avance rend un grand service aux personnes qui doivent planifier leur itinéraire en autobus, se faire conduire ou faire garder leurs enfants. Le covoiturage est l'occasion pour les membres d'apprendre à mieux se connaître. L'animateur peut en parler pendant la période réservée aux affaires internes ou à la fin de la réunion. Indiquez aux membres qui utilisent les transports publics quel est le parcours le plus direct.

LES HAUTS ET LES BAS

La création d'un groupe est bien souvent extrêmement valorisante et suscite beaucoup d'enthousiasme parmi les membres fondateurs. Mais elle peut aussi être une cause de découragement quand surviennent des problèmes imprévus. Or, il y a toujours des surprises !

Votre groupe va forcément vivre des changements, qu'il s'agisse de la participation ou du degré d'énergie. C'est là le lot de tous les groupes et vous devriez vous y préparer. L'assiduité varie selon l'énergie de chacun aussi bien que du groupe, surtout lorsque les membres sont en cours de traitement. Ne baissez pas les bras. Les groupes d'entraide exigent beaucoup d'efforts pour débuter et pour persister. Rencontrez les animateurs d'autres groupes et proposez-leur de vous soutenir mutuellement en vous téléphonant et en vous rencontrant de temps à autre afin d'échanger conseils et encouragements.

Terminez vos réunions sur une note positive en demandant à chaque membre de commenter ce que la rencontre lui a apporté de bon ; ce tour de table rappellera aux animateurs à quel point leur contribution est précieuse pour la collectivité.

RÉSUMÉ

1. Ciblez les personnes que vous voulez attirer à vos réunions.
2. Décidez d'un endroit et d'un horaire adéquats.
3. Préparez un plan pour la réunion.
4. Préparez un ordre du jour.
5. Attendez-vous à devoir surmonter des obstacles.

Comment maintenir l'efficacité de votre groupe

6

L'ANIMATION, UN STYLE DE LEADERSHIP PROPRE À L'ENTRAIDE

C'est une tâche difficile qui attend les animateurs d'un groupe d'entraide, puisqu'ils doivent trouver le juste milieu entre l'incitation à une franche discussion entre les membres qui souhaitent intervenir et le maintien d'un environnement sûr et accueillant. En règle générale, les animateurs assument plusieurs rôles ; ainsi, ils doivent :

- promouvoir la coopération et la cohésion ;
- créer un climat sûr ;
- contribuer à l'évolution de l'esprit de soutien ;
- encourager les efforts des membres en ce sens et leur témoigner de l'approbation ;
- favoriser la diminution du stress ;
- fournir des informations ;
- encourager la discussion ;
- empêcher les membres de sortir du sujet ;
- leur rappeler les conventions ;
- soutenir l'efficacité grâce à une évaluation régulière et à la planification.

Autrement dit, les animateurs clarifient ce qui se passe en rapprochant les expériences individuelles, en stimulant chez les membres l'aptitude à résoudre des problèmes et en encourageant la réflexion et la reconnaissance.

L'ÉTABLISSEMENT D'UN GROUPE EFFICACE ET SÛR

S'ils veulent instaurer au sein du groupe un climat *sécuritaire*, les animateurs doivent :

- aider les membres à accepter et à valoriser leurs différences respectives ;

- respecter le droit des membres de garder un jardin secret;
- recourir à l'humour pour réduire les tensions.

Pour maintenir *l'efficacité* du groupe, les animateurs doivent contribuer à implanter l'esprit d'entraide par l'éducation et en encourageant les membres à travailler ensemble pour renforcer les comportements positifs et féconds. Ils aident à atténuer le stress en prévoyant des moments où les membres peuvent rire et s'amuser, ce qui fait contrepoids au sérieux de la situation, et adoptent une structure qui guide et soutient le groupe. Un point de convergence positif — s'informer sur les changements en matière de diagnostic, de traitement, de recherche et de prévention; acquérir des habiletés d'adaptation; inviter des conférenciers chevronnés — favorise la croissance. Un groupe qui n'évolue pas risque de sombrer dans l'inertie et de faire du surplace. L'inertie se manifeste lorsque, bien qu'ils continuent de revenir, les membres se conduisent comme dans un club social et entretiennent des liens d'amitié au lieu de se concentrer sur le cancer. Si cela se produit dans votre groupe, c'est qu'il est grandement temps de réexaminer ou de réévaluer ses objectifs.

Il va de soi que les animateurs devraient être bien informés, mais sans pour autant se sentir tenus d'avoir toutes les réponses. L'analyse des idées est plus fructueuse quand tous les membres y participent. Les animateurs aident les autres à se sentir les bienvenus et à être à l'aise. S'ils interviennent rarement pendant les réunions auprès des participants, ils ne les encouragent pas moins, par leur seule présence, à travailler de concert.

LES CRITÈRES DE SÉLECTION D'UN ANIMATEUR

Les évaluations[33] effectuées par des groupes productifs ont permis de définir certaines des caractéristiques

propres aux animateurs efficaces, soit:
- accepter les autres;
- jouer un rôle actif;
- être bien informé;
- avoir de l'empathie;
- avoir de l'assurance;
- être équitable;
- être engagé;
- être sensible;
- être compréhensif.

Plusieurs groupes qui obtiennent d'excellents résultats sont dirigés par des personnes qui ont l'art de rendre un groupe chaleureux et accueillant. Elles possèdent un solide bon sens, elles ont bon cœur et sont courageuses. Vous les repérerez dans votre groupe en les écoutant et en observant leur comportement ainsi que les réactions des autres à leur endroit. Les critères de sélection d'un animateur devraient également vous amener à rechercher quelqu'un qui:
- comprend la différence entre un groupe d'entraide ou de soutien et un groupe thérapeutique;
- est capable de favoriser un climat d'acceptation et de compréhension;
- est capable d'encourager l'établissement d'une relation de confiance entre les membres;
- sait écouter;
- témoigne d'une attitude positive dans sa façon de vivre avec le cancer et fait preuve d'objectivité;
- a suivi une formation d'animateur ou a des aptitudes manifestes en ce sens;
- veut continuer d'apprendre, accepte les rétroactions et encourage l'évaluation.

Les groupes de lutte contre le cancer dont l'efficacité est avérée ont souvent des coanimateurs et les responsabilités inhérentes au leadership y sont partagées.

LES DIFFÉRENTS TYPES D'ANIMATION

L'ANIMATION PAR ROTATION
Le principe de la rotation est l'une des façons d'assurer le partage du leadership. Cela permet à tous les membres de diriger le travail du groupe et d'apprendre à envisager sous divers angles les compétences et responsabilités nécessaires. Votre groupe peut ainsi choisir plusieurs mois à l'avance ceux qui animeront les réunions à telle ou telle date. Soyez prêt, cependant, à faire preuve de souplesse. Il vous faudra compter avec la santé des membres ainsi qu'avec l'émergence d'autres intérêts, d'où la nécessité d'avoir un plan de rechange tout prêt. La coanimation (voir ci-dessous) de même que l'animation par rotation signifient qu'en cas d'indisponibilité d'un animateur une autre personne sera prête à assumer la relève.

LA COANIMATION OU ANIMATION PARTAGÉE
Quand l'animation est conjointe, deux personnes ou davantage se partagent la tâche. Cette forme d'arrangement est très prisée dans les groupes qui décident de garder longtemps les mêmes animateurs. Cette formule comporte de nombreux avantages :
- chaque animateur apporte à la fonction des atouts et des compétences différentes ;
- deux animateurs sont davantage à même de superviser à la fois le contenu et la démarche ;
- les coanimateurs peuvent apprendre les uns des autres ;
- ils peuvent s'encourager et se soutenir mutuellement ;
- la présence d'un coanimateur avec qui on peut partager

les tâches et discuter après les réunions contribue à prévenir l'épuisement.

Il est fréquent qu'après avoir préparé les réunions les coanimateurs discutent après coup de leur déroulement. Ils ont ainsi l'occasion d'échanger sur ce qui s'est dit et fait, de voir s'ils devraient procéder autrement et de préparer la rencontre suivante. Chacun d'entre eux peut également profiter de cette période pour recevoir des appuis et des encouragements et pour en donner aux autres, ce qui permet d'éviter de succomber à l'épuisement.

LES GROUPES NON HIÉRARCHISÉS OU L'ANIMATION COLLÉGIALE

Cette forme d'animation convient habituellement aux groupes qui existent depuis un bon moment et dont les membres se connaissent bien, ont développé une grande confiance mutuelle et sont à l'aise entre eux. Dans de tels groupes, les adhérents se sont entendus sur ce qu'ils veulent faire à chaque réunion et agissent en conséquence. Ils accueillent les nouveaux et leur expliquent le processus. Plus important encore, les conflits sont rares et il existe un consensus sur le *mode de fonctionnement* du groupe. Les nouveaux prennent exemple sur les anciens afin d'adopter un comportement adéquat et tous mettent en pratique les habiletés d'adaptation. Cette formule est une source d'enrichissement pour les groupes qui préconisent la collégialité et qui adhèrent aux mêmes valeurs et aux mêmes modèles. Bien des gens apprécient cette approche simple et intime, tant et aussi longtemps qu'ils sont capables d'accueillir de nouveaux membres dans cette ambiance symbiotique.

Selon ce modèle, tous les membres se partagent les tâches :

- en posant des questions propres à encourager la participation et la communication ouverte, comme « L'un d'entre vous a-t-il lui aussi vécu ce genre de situation ? » ou encore « Y a-t-il quelqu'un qui aimerait expliquer en quoi cela a influé sur ses relations ? » ;

- en respectant le silence ;
- en s'efforçant de rester centré sur l'essentiel ;
- en essayant de faire preuve de souplesse devant les imprévus ;
- en donnant l'exemple de la compassion et d'une attitude positive, en ne portant pas de jugement, en étant respectueux et en acceptant les sentiments des autres ;
- en aidant à résoudre les problèmes au lieu de se concentrer uniquement sur des sentiments négatifs.

Certains d'entre nous préfèrent s'asseoir en retrait pour écouter et observer la façon dont chacun des membres réagissent et participent. D'autres auront repéré des compétences particulières, susceptibles d'éclairer le sujet de la discussion. Les membres ont besoin de s'appuyer sur leurs expériences collectives pour découvrir leurs compétences personnelles et pour les mettre à profit, soit comme animateur, soit comme adhérent. L'Inventaire des compétences personnelles, que nous avons vu au chapitre 2, énumère plusieurs de celles que les membres pourront utiliser pour animer des groupes d'entraide.

LE JOURNAL DE BORD

Quelle que soit la forme d'animation adoptée par votre groupe, il est toujours bon de tenir un journal de bord ou un compte rendu des réunions. Ce faisant, il faut éviter de nommer les membres et respecter la confidentialité ainsi que les normes ou conventions du groupe. Ce genre de registre est important, parce qu'il relate l'histoire de votre groupe, ses activités et ses décisions, et qu'il sera d'une grande utilité pour les nouveaux animateurs.

Notez les décisions, les normes et conventions, les invités ou
conférenciers, ainsi que tout débat d'importance. Il est également
essentiel de rapporter des interventions, mais toujours en respectant la confidentialité. Informez les membres de l'existence de ce
journal et du fait qu'ils sont invités à le consulter en tout temps.

LES TÂCHES DE L'ANIMATEUR

Dans un groupe d'entraide, tous les membres sont égaux et l'on
compte sur la participation de chacun. Le groupe, pris comme un
tout, aura besoin de s'assurer que les réunions restent focalisées
et atteignent les buts fixés. Le responsable ne le dirige pas selon
les méthodes conventionnelles. Il doit plutôt pressentir la direction prise par le groupe et le guider vers des décisions constructives. L'animateur est à l'écoute des membres et les aide à réaliser
leurs objectifs. Ni dominateur ni directif, il est attentif aux besoins
du groupe, surtout à celui d'un milieu sûr et compatissant.

Les tâches de l'animateur consistent, entre autres, à :
• s'assurer que les réunions commencent et finissent à
l'heure dite ;
• participer à la préparation de l'ordre du jour ;

- aider à garder la discussion centrée sur le sujet, conformément à l'ordre du jour ;
- aider à établir des lignes directrices ou des conventions, et les rappeler aux membres si besoin est ;
- proposer une révision ou une évaluation périodique ;
- tenir un journal de bord ou un compte rendu des réunions ;
- donner l'exemple de la compassion et d'une attitude positive ;
- partager les informations ;
- participer en sa qualité de membre du groupe.

L'acquisition des compétences propres à un animateur demande beaucoup de temps et de pratique. Ne vous laissez pas décourager par les difficultés. Tout le monde fait des erreurs. Les personnes aux prises avec le cancer partagent des émotions très fortes et les réunions sont parfois chaotiques. Le fait de savoir tirer parti des erreurs aide le groupe à se sentir confiant et en sécurité. Sachez user du pardon et de l'humour autant envers vous-même qu'envers les autres membres.

Demandez conseil à d'autres animateurs, à des responsables de groupes de lutte contre le cancer ou à des professionnels aidants, que ce soit pour résoudre des problèmes ou pour d'autres questions. Partagez ce que vous aurez appris avec vos membres ; eux aussi tiennent à ce que le groupe fonctionne bien.

LE CONTENU ET LA DÉMARCHE

Il est important que les animateurs soient au courant des sujets abordés par le groupe (le contenu) et sachent comment les membres interagissent les uns avec les autres (la démarche). Quand deux d'entre eux sont chargés de coanimer le groupe, on est davantage certain que le contenu et la démarche seront pris en compte.

Lorsque les membres sont en proie à des émotions négatives ou que l'un d'eux semble vouloir dominer la réunion, les animateurs peuvent les ramener à des pensées plus positives en leur expliquant ce qui est en train de se passer. Il ne faut pourtant pas en conclure qu'un groupe de lutte contre le cancer ne devrait jamais aborder des questions pénibles ou négatives. Il lui est impossible de faire abstraction de la souffrance ou encore de la douleur qu'engendre un diagnostic de cancer. Néanmoins, il importe de trouver comment aider les membres lorsque la discussion devient par trop pénible, afin de pouvoir terminer sur une note positive puisque le groupe est là pour les aider à apprendre à vivre avec un diagnostic de cancer.

Les animateurs peuvent recourir aux démarches suivantes pour amener les réunions à une conclusion satisfaisante :
- découvrir des expériences ou des sentiments communs à plusieurs ;
- soulager la tension en exprimant leurs propres sentiments ;
- donner et recevoir appui et assistance ;
- partager les informations ;
- proposer de nouvelles perspectives ;
- voir comment les autres font face ;
- cimenter le groupe ;
- favoriser une vision commune axée sur les objectifs ou la signification.

Nous verrons au chapitre 7 comment les animateurs peuvent utiliser leur connaissance des démarches possibles pour relever les défis qui se présentent au sein d'un groupe.

LES COMPÉTENCES EN MATIÈRE D'ANIMATION

Au fil des ans, j'ai parlé avec énormément de personnes atteintes de cancer, dont un grand nombre venaient d'être diagnostiquées. Au début, je ne savais pas trop quoi dire. Le plus simple était de leur parler de mon expérience comme patient, mais j'ai vite compris que c'était rarement ce qu'elles avaient envie d'entendre. J'ai alors découvert que la seule façon de les aider consistait à les écouter. C'est seulement après avoir écouté ce qu'elles tentaient d'exprimer que je pouvais me faire une idée de leurs besoins, des problèmes qu'elles vivaient à ce moment-là, du genre d'appui qui les aiderait réellement à ce moment précis[34].

Devenir un écoutant empathique est une faculté qui s'apprend et qu'enseignent bon nombre de services sociaux ou d'organisations de bénévoles. C'est une faculté qu'utilisent fréquemment les membres des groupes de lutte contre le cancer, comme ils le constateront rapidement, et qui s'avère particulièrement utile dans toutes les formes de relations humaines. Pensez à prendre le temps d'acquérir cette formation et encouragez toute personne qui songerait à animer un groupe à en faire autant. Demandez aux organismes à but non lucratif et aux agences de service social de votre région qui forment des bénévoles si l'écoute active fait partie de leur programme.

La chose la plus précieuse que nous puissions offrir à
quelqu'un, c'est la qualité de notre attention.

Dr Richard Moss

L'ÉCOUTE ACTIVE[35]

L'écoute active exige que l'on prête attention à son interlocuteur avec tout son corps, son esprit, son cœur et son âme. Lorsqu'en plus d'entendre ce qu'il dit vous prenez conscience de son langage corporel, de ses gestes, du ton de sa voix, de ses jeux de physionomie, de ses émotions, c'est que vous l'écoutez activement. Vous êtes alors sur la même longueur d'onde, sans avoir à lui donner des conseils ou d'émettre des commentaires. Vous êtes attentif à tout ce qu'il vous dit, sans vous laisser distraire par vos pensées. On a rarement l'occasion, dans la vie, d'être écouté avec autant de concentration. Le fait pour votre interlocuteur de capter ainsi toute votre attention a souvent sur lui de profondes répercussions. Être écouté, accepté, sans être jugé est un merveilleux cadeau pour celui qui donne comme pour celui qui reçoit.

Je pense que je sais écouter et je fais énormément confiance
aux gens ; j'ai l'intime conviction qu'ils possèdent en
eux-mêmes les ressources nécessaires pour affronter la vie
comme elle vient. Il s'ensuit que je n'ai pas à résoudre leurs
problèmes à leur place. Je suis capable d'écouter, puis de
demander si quelqu'un, dans le groupe, ressent des affinités
avec la personne qui vient de parler ; c'est en cela que réside le
véritable travail du groupe.

L'écoute active est une forme de communication qui contribue à clarifier le mode de pensée d'une autre personne. La plupart d'entre nous ont l'habitude d'écouter ce qu'on leur dit, mais l'écoute active va au-delà des mots. Elle fait appel à des facultés qui permettent à l'écoutant de bien saisir leur signification profonde. Elle implique qu'on s'arrête aux mots employés par l'interlocuteur, à leur contenu ainsi qu'aux sentiments et aux actes qui les accompagnent.

Les personnes qui viennent d'apprendre qu'elles ont le cancer se sentent souvent sous le coup d'une menace terrible et sont donc sur la défensive. Elles ont parfois l'impression que le cours de leur vie leur échappe et finissent fréquemment par avoir d'elles-mêmes une image négative. L'écoute active permet aux gens de parler et d'explorer cette image, sachant que l'écoutant les accepte totalement, sans aucune réserve ni attente. Elle stimule la croissance personnelle et contribue à renforcer la conscience de soi. Le bon écoutant fait preuve :

- d'une acceptation dépourvue de tout esprit critique ;
- d'un authentique respect du principe d'égalité et de la liberté d'expression ;
- de chaleur et de compréhension.

ÉCOUTER POUR BIEN COMPRENDRE

Comme les gens passent par de nombreuses phases au cours d'une maladie qui peut être aussi longue et imprévisible que le cancer, il est particulièrement important d'apprendre à être à l'écoute de leurs besoins[36].

Le contenu du message est un énoncé qui vous indique la nature du problème. Le sentiment ou l'attitude qui le sous-tend en révèle souvent la véritable teneur. Quand, par exemple, quelqu'un dit : « Je viens tout juste d'apprendre que j'ai le cancer et je suis extrêmement bouleversé et je me sens perdu », *j'ai le cancer* est le contenu et *bouleversé* traduit le sentiment inhérent au message. En règle générale, le contenu a moins d'importance que le sentiment. Tenez compte des sentiments dès le début et encouragez votre interlocuteur à poursuivre en lui posant des questions ouvertes. Et en l'écoutant, vous pourrez l'aider à prendre conscience de ce qu'il ressent. Car c'est seulement lorsqu'il en sera pleinement conscient et qu'il réussira à composer avec ses sentiments qu'il sera en mesure de comprendre les explications ou les informations fournies.

La plupart d'entre nous se rappellent avec précision le moment où ils ont appris le diagnostic, mais nous sommes à peine quelques-uns à nous souvenir de ce qui a suivi les mots «c'est un cancer». Tout le reste n'était que du bruit.

LES INDICES

Étant donné qu'une grande partie de la communication est non verbale, il est primordial de s'attacher aux autres messages transmis par des formes d'expression, comme le langage corporel, les hésitations, le ton de la voix, les marmonnements, le refus d'un contact visuel, le remuement sur son siège, etc. Ce sont tous ces éléments qui renferment la totalité du message.

CLARIFICATION OU PARAPHRASE

Puisqu'il est passablement difficile de bien comprendre ce qu'une personne veut vraiment dire, vous devez vous assurer d'avoir saisi son message correctement. Ainsi, vous pourriez répéter dans vos propres mots ce que, d'après vous, elle vous a dit et vérifier avec elle si votre interprétation concorde avec son message tacite. Voici un exemple. «Si je comprends bien ce que tu viens de me dire, Jean, tu n'as pas mis ta famille au courant, parce que tu veux la protéger. Mais, maintenant, tu es fâché parce qu'elle ne te soutient pas assez. C'est bien cela?» Attendez ensuite qu'il vous confirme si vous avez vu juste. Ne vous étonnez pas s'il reste longtemps silencieux pendant qu'il réfléchit à ce qu'il va dire. Évitez de rompre ce silence ou de le presser de répondre; le silence peut être plus éloquent que les mots. Rappelez-vous que votre but, comme écoutant, est de vérifier les intentions de votre interlocuteur, et non de le conseiller ni de porter des jugements.

L'EMPATHIE

Faire preuve d'empathie, ce n'est pas se contenter de dire « je sais ce que tu ressens ». C'est s'efforcer de comprendre l'expérience vécue par une autre personne en rémission prolongée, telle qu'elle l'a décrite. Être empathique consiste à « être à l'écoute » des émotions et des sentiments véhiculés par les mots, le langage corporel et les gestes. Laissez à votre interlocuteur tout le temps dont il a besoin pour s'exprimer à fond ainsi que pour prendre conscience de ses sentiments et commencer à en tenir compte. Montrez que vous l'écoutez avec votre corps, votre esprit et votre cœur, et tâchez de résister à la tentation de vous laisser distraire par vos pensées et vos solutions.

SYMPATHIE OU EMPATHIE ?

Être en sympathie avec quelqu'un, c'est se sentir désolé pour lui. Quand nous témoignons de la sympathie à une personne que nous écoutons ou que nous voulons aider, nous ne sommes pas sur un pied d'égalité avec elle et notre pitié devient évidente. En réagissant ainsi, nous ne risquons guère de l'aider et elle risque, par la suite, de regretter de s'être montrée vulnérable en nous confiant ses sentiments les plus intimes. En lui manifestant de l'empathie, l'écoutant maintient un rapport d'égalité avec son interlocuteur, parce qu'il reconnaît la spécificité et la dignité de son expérience.

LE SILENCE

Beaucoup d'entre nous supportent mal le silence et éprouvent le besoin de combler ce vide. Pourtant, s'il est utilisé à bon escient, le silence est un outil très efficace. Il contribue à ralentir les débats et permet aux participants de rassembler leurs idées, en même temps qu'il apaise ceux d'entre eux qui seraient gagnés par la peur ou dont les pensées sont éparses.

Si le silence s'installe, laissez-le s'épanouir. Il en sortira quelque
chose. Laissez la tempête faire rage; une accalmie suivra.

Lao Tseu, Tao Te King

Comme un silence qui se prolonge peut susciter des sentiments négatifs ou amener les membres à se demander s'il n'y a
pas un problème, il importe de ne pas trop attendre avant de reprendre la discussion. Le choix du moment est un facteur essentiel. En règle générale, l'écoutant devrait respecter le silence et
laisser l'intervenant libre de le rompre quand il le juge bon.

LES QUESTIONS OUVERTES

On incite la personne qui est en train de parler à développer son
idée ou ses réflexions en lui posant des questions ouvertes, telles
que «Peux-tu nous expliquer ce que tu souhaiterais que le groupe
fasse pour régler ce problème?» Avec ce type de question, on l'invite à poursuivre la discussion et à approfondir les sujets difficiles
ou complexes, l'écoutant lui ayant manifesté son intérêt.

Une question ouverte — «Pourrions-nous en parler pendant la
pause?» — qui n'appelle pour toute réponse qu'un oui ou un non
est souvent utile quand on veut faire taire quelqu'un. Il est toutefois préférable d'éviter d'y recourir lorsque la réunion tire à sa fin.

LA VALIDATION DES EXPÉRIENCES ET DES ATOUTS

Quand quelqu'un vous raconte son histoire, vous pouvez lui
prouver que vous l'avez écouté en résumant son message; vous
pourriez lui dire, par exemple: «on dirait que cette conversation
avec votre fille a beaucoup compté pour vous» ou encore «il t'a
fallu du courage pour dire ce que tu avais sur le cœur». Même
lorsque les confidences sont pénibles, vous pouvez faire ressortir
la force de caractère dont les gens ont fait preuve.

L'ÉTABLISSEMENT DE LIENS

Les animateurs et les autres membres du groupe peuvent contribuer à l'établissement de liens afin de faciliter l'intégration des nouveaux membres. La possibilité de rapprocher les gens est l'un des principaux avantages qui découlent de l'appartenance à un groupe. La mise en lumière d'expériences communes devrait permettre au vôtre d'acquérir un sentiment de cohésion et d'intimité. Il peut être réconfortant d'apprendre que d'autres personnes en rémission prolongée ont vécu des problèmes et éprouvé des sentiments semblables aux siens, et qu'elles ont trouvé le moyen de s'en sortir. Cette méthode demande une certaine habileté, une bonne mémoire et un respect rigoureux de la confidentialité. Ainsi, lorsqu'un membre dit avoir du mal à comprendre les divers traitements qui lui sont proposés et que vous vous rappelez que cette question a été abordée lors d'une précédente réunion, vous pourriez dire : « Je crois bien me rappeler que nous en avons déjà parlé. Est-ce que quelqu'un d'autre s'en souvient ? »

LES RÉACTIONS QUI DISSUADENT LES GENS D'INTERVENIR

Essayez d'empêcher les questions qui commencent par « *pourquoi* », parce qu'on les assimile facilement à un blâme ou à un jugement. Par exemple, la question « Pourquoi as-tu consulté ce médecin ? » donne à penser que c'est la faute du patient si son traitement s'est avéré inadéquat.

> *L'une de mes amies très proches, qui m'avait aidée à me sentir belle même après la perte de mes cheveux, m'a dit récemment : « Ton choix a été différent de ce qu'aurait été le mien, mais cela n'a aucune importance. » J'ai été ravie qu'elle n'ait pas laissé ce détail s'interposer entre nous pendant ce qui a été sans aucun doute la période la plus difficile de toute ma vie*[37].

D'autres réactions inhibent les interventions au lieu de les encourager, notamment :

- changer de sujet ;
- éviter le contact oculaire ;
- se laisser distraire facilement — répondre au téléphone, lire, se détourner ;
- remettre en cause des décisions ou porter des jugements ;
- donner des conseils ou exprimer son point de vue ;
- demander constamment à son interlocuteur de répéter ce qu'il vient de dire ;
- interrompre ;
- témoigner de la pitié ;
- se comporter en sauveteur ;
- adopter un ton désinvolte ou philosopher sans fin ;
- bousculer l'intervenant.

En résumé[38], l'écoute active se fonde sur des attitudes et des comportements. La formule **CRAIE** vous aidera à vous les rappeler :

C le *contact oculaire*, qui traduit notre intérêt et notre attention ;

R le *respect* du droit qu'a l'autre de parler et d'être écouté ;

A l'*attitude corporelle*, incluant les gestes et mouvements qui expriment la prise de conscience ;

I l'*intimité*, qui demande un environnement sûr et empathique, où l'on peut exprimer librement ses idées et ses sentiments, sans craindre d'être jugé ;

E l'*enchaînement*, qui est à la fois verbal et non verbal. Dans le premier cas, on privilégie les questions ouvertes comportant un minimum de mots ; dans le second, ce seront des hochements de tête, des sourires et des jeux de physionomie appropriés.

LA PRISE DE DÉCISION EN GROUPE

Dans les groupes d'entraide, les décisions importantes sont rarement le fait d'une seule personne. C'est parce qu'ils accordent beaucoup de prix à l'implication des membres dans tous les domaines qui les concernent. En faisant en sorte que les besoins du vôtre en matière d'administration restent simples, vous limiterez d'autant les divers problèmes inhérents à la prise de décision.

LA RÈGLE DE LA MAJORITÉ

C'est ce principe que les groupes appliquent le plus souvent quand ils doivent prendre une décision. La question est débattue et si plus de la moitié des membres s'entendent sur un point, la décision est prise. Cette règle est utile quand on est à court de temps ou qu'un consensus (un accord unanime) est impossible, même si elle engendre fatalement des mécontents. Et son efficacité est patente quand la décision adoptée n'est pas d'une importance cruciale.

LE CONSENSUS

La plupart des groupes d'entraide visent le consensus chaque fois qu'une décision s'avère primordiale pour eux. La raison d'être du groupe, le genre d'adhérents, le lieu et le moment des réunions en sont quelques exemples. Chaque membre devrait avoir la possibilité d'influer sur la décision définitive. Le principe du consensus ne vaut toutefois que pour les groupes où l'estime et la confiance règnent entre les membres. Autrement, les divergences d'opinion seront vues comme des menaces au lieu d'être prises en considération. L'avantage d'une décision consensuelle tient au fait que pratiquement tous les membres la respecteront.

Bien des groupes s'efforcent d'obtenir un «consensus modéré». Selon cette formule, l'unanimité est presque acquise et, sachant qu'on a écouté leur point de vue, les membres qui sont en désaccord risquent fort de se rallier à la majorité. Le consensus demande souvent beaucoup de temps et d'énergie — tous ont besoin de se faire entendre. De plus, il survient rarement, puisqu'il y a généralement autant d'opinions que de membres. En revanche, tenter d'en arriver à un consensus pour les décisions importantes est une démarche très fructueuse. Celle-ci rapproche les membres et est garante d'un engagement plus profond lors de l'application de la décision.

RÉSUMÉ

1. Choisissez un animateur et décidez du genre d'animation.
2. Tenez un journal de bord.
3. Comprenez bien en quoi consiste le rôle de l'animateur.
4. Pratiquez l'écoute active.
5. Sachez comment se prennent les décisions en groupe.

Les défis et enjeux

7

Les groupes d'entraide pour les personnes atteintes de cancer doivent, à l'instar de la plupart des autres associations, relever des défis. En apprenant à composer efficacement avec les comportements déviants ou les caractères difficiles, les membres finissent par moins compter sur l'animateur pour prendre les choses en main. De plus, le fait de savoir gérer des situations délicates augmente leur estime de soi et leur sentiment de compétence.

MAINTENIR L'ESTIME DE SOI CHEZ LES MEMBRES

Quand ils ont compris comment le cancer influe sur l'estime de soi, les membres du groupe sont habituellement plus aptes à s'entraider. Lorsque la maladie menace notre dignité, notre comportement risque de devenir difficilement acceptable pour les autres. Ce n'est pas que nous voulions les menacer ou les effrayer — surtout quand il s'agit de personnes susceptibles de nous aider —, mais la maladie nous pousse parfois à nous tenir sur la défensive et à nous comporter de façon discutable.

L'estime de soi permet de mesurer ce qu'on éprouve face à ce qu'on est et jusqu'à quel point on en est satisfait. Les personnes chez qui ce sentiment est prononcé ne sont pas toujours heureuses de ce qui leur arrive — un diagnostic de cancer, par exemple — et voudront peut-être corriger la situation, mais elles ne souhaiteront pas pour autant devenir quelqu'un d'autre. Une forte estime de soi constitue la base d'une bonne santé mentale et émotionnelle. Les gens qui passent leur vie à se sous-estimer ont souvent l'impression que leur existence est faussée ou incomplète. Or, étant donné qu'on vit constamment avec soi-même, il est important de trouver sa propre compagnie agréable, sinon on sera sans cesse en quête de quelque chose ou de quelqu'un d'autre qui puisse nous rendre heureux.

Notre amour-propre connaît souvent des hauts et des bas, selon que notre situation va en s'améliorant ou en s'aggravant. Une forte estime de soi est semblable à un seau rempli d'eau ; on peut y puiser à son gré, sans avoir l'impression de perdre quoi que ce soit. Mais si cela fait longtemps qu'on a une mauvaise opinion de soi, il suffira d'une goutte qui tombe du seau pour qu'on se sente à bout de ressources. Les effets du cancer et des traitements peuvent influer considérablement sur l'amour-propre.

L'estime de soi s'alimente à plusieurs sources. Nous en verrons quatre. La première est la reconnaissance, c'est-à-dire le fait d'être apprécié et de compter pour les autres, en particulier quand il s'agit de personnes qui nous connaissent et qui nous aiment, et son absence entraîne une légère baisse de l'amour-propre. La reconnaissance peut prendre la forme d'un salut chaleureux ou d'une étreinte de la part d'un membre de la famille ; ce peut être aussi lorsque le patron nous demande comment ça va. Mais quand on a le cancer et qu'on suit des traitements, ce bouleversement de nos habitudes nous empêche bien souvent de voir ceux qui nous témoignent leur reconnaissance. Et si, au contraire, nous les voyons tout le temps, ils oublient de le faire.

La deuxième source de l'estime de soi est le sentiment d'accomplissement, de réalisation ou de maîtrise. Les accomplissements qui s'étalent sur plusieurs années correspondent généralement à des objectifs essentiels : se marier, élever des enfants, bâtir une entreprise, recevoir une promotion, poursuivre des études, se maintenir en bonne forme. Dans une perspective à court terme, on parlera de faire le ménage, tondre la pelouse, préparer le repas, s'adonner à un sport ou à des activités en famille. Lorsque surviennent le cancer et son cortège de traitements, nous n'en sommes plus capables à cause de la maladie ou de l'épuisement. Là encore, l'impossibilité d'éprouver cette impression d'accomplissement que nous procurent habituellement de telles activités influe sur l'estime de soi.

La troisième source est la sensation de maîtriser, d'influencer ou de dominer le cours de son existence. Cette sensation de contrôle tient au fait que nous sommes en mesure de faire des choix et d'agir sur les événements pour qu'ils correspondent à nos attentes. Être atteint d'un cancer et devoir se faire soigner signifient qu'on devra prendre des rendez-vous à la clinique et passer du temps à l'hôpital ou dans des centres de traitement. Le cancer fait obstacle à tous nos projets : voyager, se marier, fonder une famille, étudier ou faire carrière. Nous n'avons plus aucune maîtrise sur la façon dont nous passons notre temps — temporairement, tout au moins. Des quatre sources de l'estime de soi, c'est ce sentiment de pouvoir et d'influence qui semble avoir le plus de poids ; il peut nous abattre ou nous revigorer plus vite que les trois autres.

Nos valeurs et nos convictions personnelles constituent la quatrième source importante de l'amour-propre. Elles sont uniques à chacun de nous, les premières étant souvent fonction des secondes. Elles découleront d'expériences spirituelles ou religieuses, ou seront fondées sur la famille, le travail, l'éducation, les rapports sociaux, les sports ou l'activité physique, l'art ou la musique. La capacité d'agir sur ses valeurs personnelles aide à conserver l'estime de soi-même, comme le fait de pouvoir aller à la messe ou assister aux offices lorsque nos convictions religieuses sont bien ancrées — surtout après un diagnostic de cancer. Être incapable de jouer de la musique, de faire du sport ou de suivre un programme d'exercices régulier aura une incidence négative sur l'estime de soi, quand on attache une grande importance à ces activités.

Si des membres sont privés de la reconnaissance qui leur vient habituellement de personnes qui comptent beaucoup pour eux ou n'ont pas l'impression qu'on se préoccupe de leur sort, le groupe peut les inciter à reconnaître ces carences et à demander qu'on y remédie — il pourra s'agir, par exemple, de l'envie de recevoir un coup de fil ou encore du besoin d'une étreinte ou d'être touché physiquement. Pour renforcer le sentiment d'accomplissement, les membres s'encourageront à exécuter de petites tâches. Même les réalisations les plus modestes contribueront à accroître l'estime de soi et à freiner la spirale descendante de la pensée négative.

Encourager les patients à se renseigner sur l'éventail des traitements est une excellente façon de les amener à retrouver leur sens du pouvoir et de la maîtrise. Et les aider à établir une liste de questions ou à se débrouiller dans la confusion des cliniques anticancéreuses peut contribuer à leur rendre toute leur assurance.

En incitant les gens à explorer d'autres façons de vivre en fonction de leurs valeurs et de leurs convictions personnelles, on peut les aider à retomber sur leurs pieds et à se livrer à des activités qui comptent pour eux. Lorsqu'ils seront prêts, voir à leur hygiène personnelle, préparer un repas, faire de la marche ou tout autre exercice modéré, aller à l'église ou écouter de la musique sont des moyens très simples de ranimer leur amour propre.

Un dernier commentaire à propos de l'estime de soi. Certains d'entre nous considèrent leur cancer comme la source d'un pouvoir et d'une meilleure appréciation de soi, résultant de ce qu'on appelle généralement les « à-côtés positifs de la maladie », comme une reconnaissance particulière, l'appui et la compassion manifestés par les proches et les amis, ou encore le fait de ne plus avoir à travailler ou d'échapper à d'autres obligations. Mais même si nous sommes tentés de profiter du cancer pour abuser de la bienveillance des autres, nous devrions éviter de confondre la maladie avec le fait d'être digne d'amour et d'attention. On a droit à l'amour et à l'attention des autres lorsque nos actions et notre comportement leur démontrent qu'on les aime et qu'ils comptent pour nous. La meilleure façon d'agir consiste à entretenir de bonnes relations — qu'on soit malade ou en bonne santé.

QUELQUES STRATÉGIES POUR COMPOSER AVEC LES COMPORTEMENTS DÉVIANTS

C'était dur d'avoir une conversation en tête à tête — trop de gens parlaient en même temps.

Yogi Berra

Il arrive toujours un moment, dans un groupe, où l'un des membres dérange les autres par son comportement. Voici une liste de quelques-uns des comportements déviants les plus fréquents et des suggestions quant à la manière d'y faire face[39].

LE MONOPOLISATEUR
Cette personne éprouve le besoin de raconter son histoire à chaque réunion et lors de chaque discussion ; elle veut accaparer tout le temps et toute l'attention du groupe.

Solutions possibles : Reconnaître d'abord ses besoins. Puis, tenter d'orienter son énergie dans une autre direction. Une personne qui est nouvelle ou qui vient d'être diagnostiquée peut avoir impérativement besoin de l'attention du groupe, mais vous ne devriez pas permettre qu'elle se comporte ainsi à toutes les réunions. Expliquez-lui les lignes directrices et les conventions qui aident les membres à se témoigner du respect et à partager le temps. Si cela échoue, vous devrez peut-être vous résoudre, pour le bien des autres, à lui demander clairement de cesser de monopoliser la réunion. Expliquez-lui qu'elle a le choix : soit elle reste dans le groupe et en respecte les conventions ainsi que les besoins des membres, soit, si elle refuse de se plier aux règles, vous devrez lui demander (en privé) de partir.

LE GRINCHEUX QUI REFUSE D'ÊTRE AIDÉ
Cette personne se plaint sans arrêt, mais refuse tout ce qu'on lui propose en répétant à satiété des expressions comme « oui, mais... ».

Solutions possibles : Les membres peuvent le confronter et lui exprimer les expériences positives communes à tous. Mettez l'accent sur ce qui est faisable. Demandez carrément à cette personne ce qu'elle espérait du groupe et rappelez-lui que ce dernier ne peut être efficace que si tout le monde y participe activement et est fermement résolu à apprendre. Un groupe d'entraide ne constitue pas un auditoire captif à l'intention exclusive de ceux qui n'arrêtent pas de se lamenter et qui ne font aucun effort pour accepter la responsabilité de ce qu'ils peuvent changer.

LE MEMBRE HOSTILE

Contrairement à ceux qui canalisent leur colère afin d'agir de façon constructive, la personne hostile projette la sienne sur les autres membres. Elle peut d'ailleurs se montrer tout aussi désobligeante à l'extérieur du groupe.

Solutions possibles : N'hésitez pas à protéger activement le groupe en imposant des limites strictes : le respect des autres, pas d'interruptions, pas de jugements. Assurez-vous que le membre hostile comprend bien les conventions et les normes en vigueur. S'il est incapable ou refuse de se soumettre aux règles, demandez-lui en privé de partir. Une fois encore, la sécurité du groupe est plus importante que le besoin individuel d'extérioriser sa colère.

LE MEMBRE RENFERMÉ

Cette personne ne parle et ne participe pratiquement jamais.

Solutions possibles : Encouragez ce membre à participer. Observez attentivement son langage corporel et essayez de l'amener à intervenir chaque fois que vous remarquez une forme de réaction — par exemple si ses yeux s'illuminent pendant une discussion ou si elle acquiesce de la tête quand quelqu'un parle. Profitez du tour de table au début ou à la fin de la réunion, lorsque chaque membre dit quelques mots, pour l'inciter à en faire autant. Soutenez et encouragez la participation de tout le monde, mais ne l'exigez pas. Les bons écoutants sont aussi importants pour le groupe que ceux qui interviennent régulièrement.

LES MEMBRES PRÉSENTANT DES TROUBLES MENTAUX

Les personnes suicidaires, psychotiques ou gravement déprimées fonctionnent généralement mal au sein d'un groupe d'entraide pour les personnes atteintes de cancer, à moins que leur état ne se soit stabilisé.

Solutions possibles: Si l'état de la personne en cause représente manifestement un problème, orientez celle-ci vers des groupes ou des services de santé mentale. Expliquez-lui qu'elle pourra se joindre au groupe lorsqu'elle sera prête. N'oubliez pas qu'il existe une différence très nette entre l'entraide et les services de santé mentale ou les groupes de thérapie. Certaines personnes ont besoin d'une aide qui dépasse les capacités de votre groupe et vous devrez donc les diriger vers les spécialistes concernés.

L'EMPATHIE ASSERTIVE

L'empathie assertive est une méthode de gestion des comportements déviants qui s'avère très efficace dans le cas des groupes d'entraide. Elle est à la portée de tout le monde et peut, avec un peu d'entraînement, aider les animateurs et les membres à empêcher les membres qui affichent un comportement pénible de dominer les réunions.

Dans *The Self-Help Leader's Handbook : Leading Effective Meetings*[40], les auteurs présentent l'empathie assertive comme une méthode permettant de dire non sans offenser qui que ce soit. Celle-ci consiste à exposer son empathie, à fixer des limites, à proposer des solutions et à s'assurer que tout le monde est d'accord.

L'empathie assertive est applicable dans le cas d'un grand nombre de comportements déviants, notamment quand un membre :

- parle trop ;
- interrompt fréquemment les autres par des remarques intempestives ou hors de propos ;
- répond « oui, mais » à toutes les suggestions des autres membres du groupe ;
- arrive systématiquement en retard ou dérange les réunions ;
- semble avoir besoin d'une aide dépassant les capacités du groupe ;
- a de graves problèmes que les autres ne partagent pas ;
- multiplie les remarques blessantes ou discriminatoires.

LES TROIS ÉTAPES DE L'EMPATHIE ASSERTIVE

1. *Exposer son empathie* : Quand, par exemple, un membre ressasse interminablement les mêmes problèmes à chaque réunion, vous pourriez lui dire : « Je comprends que tu as du mal à obtenir de l'aide de ton mari et de ta famille depuis ton diagnostic. »

2. *Fixer des limites* : Expliquez à cette personne pourquoi il vous faut corriger la situation en lui disant, par exemple : « Beaucoup d'entre nous ont dû affronter les réactions de nos familles. Moi aussi, je suis passé par là. Nous avons consacré beaucoup de temps, pendant les dernières réunions, à étudier plusieurs options avec toi. Mais maintenant, il faut donner aux autres la chance de s'exprimer. »

3. *Proposer des solutions et s'assurer que tout le monde est d'accord* : Il est indispensable de vous assurer que la solution proposée convient à tous les membres. Vous pourriez suggérer : « Tu pourrais peut-être continuer d'en discuter après la réunion ? Crois-tu que cela marcherait dans ton cas ? »

Il va de soi que l'empathie assertive ne convient pas à toutes les situations problématiques. Si le cas est particulièrement complexe, le groupe voudra peut-être réfléchir collectivement à d'autres possibilités. Il est important de faire preuve de souplesse et d'empathie, et de trouver des solutions qui ne seront ni embarrassantes ni irrespectueuses pour le reste des membres.

QUAND UN ANIMATEUR EN FAIT TROP

Quand tous les yeux sont fixés le plus clair du temps sur les animateurs ou que ceux-ci accaparent la discussion et répondent à toutes les questions, il est évident qu'ils en font trop. On ne le répétera jamais assez : la tâche de l'animateur consiste à *faciliter* le travail du groupe et non à le *faire* à sa place. Il faut que les membres se sentent impliqués et responsables de ce qui se passe pendant les réunions ; sinon, le groupe sera voué à l'échec. Lorsque les adhérents attendent des animateurs qu'ils répondent à toutes les questions et règlent tous les problèmes, ils ne risquent guère d'apprendre à le faire par eux-mêmes. Les points suivants aideront les animateurs à éviter de s'impliquer indûment :

1. Faites en sorte que l'exposé d'ouverture soit chaleureux, bref et axé sur la question du jour.
2. Ne répondez pas immédiatement, même si la question s'adresse à vous. Laissez aux autres la chance d'y répondre les premiers. Si quelqu'un a besoin d'assistance, les membres pourront attendre un moment avant de proposer leur aide.
3. Quand personne ne répond aux questions, essayez de provoquer une intervention en posant une question ouverte, comme : « Quelqu'un a-t-il déjà fait face à ce problème ? »
4. Prévoyez des évaluations régulières du rôle et des compétences des animateurs et invitez les membres à suggérer des façons d'apporter les changements nécessaires.

COMMENT PRÉVENIR L'ÉPUISEMENT PROFESSIONNEL CHEZ LES ANIMATEURS

J'ai parfois l'impression d'en avoir par-dessus la tête. Ce n'est pas que je veuille me plaindre, mais il y a des moments où j'aimerais pouvoir passer toute une semaine sans avoir à penser au cancer.

L'épuisement professionnel est un problème grave qui ne se résout pas aisément. Néanmoins, vous pouvez organiser votre groupe de telle sorte que personne ne sera soumis à un stress excessif. Voici quelques suggestions pour éviter l'épuisement professionnel :

1. *Suggestions concernant tout le groupe*
    *   Préparez des lignes directrices bien structurées. Certains groupes mettent l'accent sur la gestion des situations problématiques ou des comportements déviants. Cela permet de décharger les animateurs d'une partie des soucis qui en découlent.
    *   Faites en sorte d'avoir au moins deux animateurs, qui pourront ainsi se relayer toutes les quelques réunions.
    *   Fixez une échéance à la fonction d'animateur. La seule idée que ce rôle ne se terminera jamais peut être une cause d'épuisement.
    *   Prenez l'habitude de remercier les animateurs à la fin de chaque réunion ! Organisez une fête en leur honneur au moins une fois par année !

2. *Suggestions concernant les animateurs*
    *   Écrivez vos impressions et vos commentaires dans le journal de bord que vous tenez pour le groupe. Procédez à un debriefing avec votre coanimateur après chaque réunion afin que vous puissiez l'un et l'autre donner votre opinion et vous soutenir mutuellement.
    *   Recherchez, au sein de votre collectivité, un professionnel aidant qui vous épaulera à l'intérieur d'une relation

d'«encadrement» ou de mentorat. Celui-ci pourra vous aider à résoudre des problèmes, à trouver des personnes-ressources, etc.

- Recrutez de nouveaux membres et préparez-les à devenir des animateurs. Inscrivez-les à des cours de formation ou à des ateliers sur l'acquisition de compétences. Une fois qu'ils seront bien entraînés, vous pourrez envisager votre départ.
- Prévenez votre groupe lorsque vous commencez à vous sentir débordé. Vous aussi, vous êtes un membre et ce qui compte, c'est d'en faire part aux autres.

LES 13 COMMANDEMENTS DE L'ANIMATEUR[41]

À FAIRE	À NE PAS FAIRE
Participer	Dominer le groupe
Fournir des informations	Discourir
Encourager tout le monde à parler	Exercer des pressions
Faire preuve d'empathie	Tout ramener à soi
Clarifier les sentiments des membres	Empêcher les membres de le faire
Laisser les membres analyser leurs sentiments	Se comporter en sauveteur auprès des membres
Protéger les membres de l'hostilité	Empêcher les membres d'exprimer leur colère
Soutenir et pondérer les points de vue	Prendre parti
Préparer un ordre du jour	Exiger de suivre l'ordre du jour
S'appuyer sur les structures et la prévisibilité pour réduire l'anxiété	Contourner les structures pour mieux dominer
Reconnaître les tensions au sein du groupe	Éviter les questions douloureuses
Recourir à l'humour pour diminuer le stress ou rapprocher les membres	Recourir à l'humour pour détourner ou éviter un débat
Encourager les membres à approfondir les questions	Considérer qu'il faut obtenir des réponses

RÉSUMÉ

1. Comprendre comment l'estime de soi influe sur le comportement.
2. Reconnaître les défis communs à tout le groupe.
3. Recourir à l'empathie assertive.
4. Prendre les moyens de prévenir l'épuisement professionnel chez les animateurs.

L'affliction,
la perte
et le deuil

8

L'adhésion à un groupe d'entraide pour les personnes atteintes de cancer implique qu'on a le courage d'affronter ses peurs face à sa propre mort et à son agonie. Dans nos groupes, nous rencontrons des patients en rémission prolongée qui partagent avec nous leur expérience, leur force et leurs espoirs. Nous poussons un soupir de soulagement, parce que nous avons enfin découvert des personnes qui ont vécu ce que nous vivons. Et grâce auxquelles nous refaisons le plein d'énergie et reprenons notre vie en main — parce que, si elles ont tenu bon, nous pouvons le faire, nous aussi.

Mais il y a également dans le groupe des membres dont l'état va s'aggraver — et non s'améliorer. Et certains vont mourir. Ces pertes et ces décès peuvent avoir des effets dévastateurs sur les autres adhérents, surtout quand des liens d'amitié s'étaient noués.

Dans ce genre de situation, les membres des groupes d'entraide font face à un dilemme[42]. D'une part, il y a le désir de conserver une attitude emplie d'espoir et de ne pas démoraliser les nouveaux venus par des histoires de deuils et de larmes. Et, de l'autre, celui de soutenir les membres dont la mort est proche et de pleurer ceux qui sont décédés. Quand un groupe d'entraide de personnes atteintes de cancer est incapable de répondre aux besoins des patients gravement malades, la colère gagne souvent aussi bien ces derniers que ceux qui veulent les aider davantage.

J'étais sur le point de parler du décès de S. et du fait que nous n'y avions pas fait face, mais je me sentais affreusement mal à l'aise parce que j'avais été trop lâche pour assister aux funérailles. Mais il y avait cette fille, à trois chaises de moi, qui venait d'être diagnostiquée et j'étais incapable d'aborder le sujet. Je n'en savais pas assez à son sujet, ni qui en prenait soin chez elle[43].

Tout ceci vous amène sans doute à penser que fonder un groupe d'entraide ou y adhérer n'est finalement pas une si bonne idée que cela. Vous craignez peut-être que ce ne soit trop douloureux ou que cela ne ravive votre propre peur de la mort. Cette éventualité est particulièrement fondée si, à l'instar de la plupart des patients de longue date, vous continuez d'être obsédé par tout ce que vous avez perdu — la perte de votre immortalité, de votre santé, de votre sexualité, etc. Et il est possible que, comme la majorité de ces patients, vous préfériez conserver une attitude positive et vous tenir à l'écart de ceux dont l'état se détériore ou qui sont en train de mourir. Après tout, nombreuses sont les personnes rétablies qui veulent tourner la page et aller de l'avant. Une fois de plus, vous seul pouvez décider de ce qui vous convient le mieux.

Si vous choisissez d'adhérer à un groupe d'entraide ou d'en fonder un, vous serez appelé à fréquenter des patients qui vivent certains des jours les plus difficiles et les plus enrichissants de toute leur vie. Mais vous n'êtes pas tenu de faire front tout seul. Des aidants professionnels pourront vous aider à vous sentir plus à l'aise avec des personnes qui en sont à un stade ou à un autre de leur maladie.

Apprendre à accompagner des mourants de façon telle que la vie en soit valorisée peut aider les groupes à grandir et à gagner en authenticité. Cela ne veut pourtant pas dire que ceux-ci deviendront experts en la matière. Mais quand des membres trouvent le courage de se réunir et de parler ouvertement de la mort, ils en éprouvent du réconfort et du soulagement.

Dans ce chapitre, nous verrons comment un groupe d'entraide peut aider non seulement les membres dont l'état se dégrade et dont la vie approche de son terme, mais également ceux qui se demandent comment parler de leur peur de l'agonie et de la mort et ceux qui pleurent tout ce qu'ils pensent avoir perdu à cause du diagnostic de cancer.

Vos meilleurs professeurs seront les membres qui sont aux prises avec ce défi des plus exigeants. Il va de soi que le groupe ne peut faire disparaître la colère, la douleur ou la tristesse. Mais il peut offrir un endroit où exprimer ces sentiments en toute sécurité, simplement parce que chacun y est accepté, quel que soit le stade de sa maladie.

Quand je parle avec quelqu'un qui vient d'apprendre qu'il a un cancer, qui fait une rechute ou qui n'en peut plus de lutter contre le cancer depuis tant d'années, je me rappelle que je n'ai pas à lui donner des conseils pour l'aider. C'est en écoutant qu'on vient en aide. C'est en écoutant qu'on donne[44].

C'est en vous-mêmes que vous et les membres de votre groupe découvrirez le courage et la compassion qui vous soutiendront dans votre propre cheminement. Même si l'acquisition de certaines habiletés vous aidera à vous préparer pour cette tâche, c'est l'expérience qui sera votre véritable maître. Plus vous serez apte à aborder ces sujets pénibles avec un esprit ouvert et un cœur compatissant, et plus vous vous sentirez prêt à parler de la mort et de ce qui n'est plus.

Si votre groupe est tout récent ou s'il se sent dépassé parce que vous vous efforcez d'accompagner un membre qui est en train de mourir, c'est probablement au sein de votre communauté que vous trouverez une aide immédiate. Le personnel des salons funéraires de même que les prêtres ont souvent suivi une formation pour réconforter les personnes en deuil. Les centres de soins palliatifs et les groupes de soutien pour les familles endeuillées peuvent compter sur des personnes qui sont habituées à accompagner l'agonie et la mort, et ils vous conseilleront sûrement quelqu'un qui viendra rencontrer votre groupe. Un conseiller compétent peut devenir une ressource permanente et expliquer à vos membres comment s'entraider, comment envisager leur propre mort et comment s'appuyer sur les rituels et les cérémonies pour évoquer et commémorer ces vies disparues.

Quoi qu'il en soit, il n'existe pas de recette pour y parvenir, ni de bonne ou de mauvaise manière de procéder. Mais les animateurs comme les autres membres du groupe trouveront sûrement utile de bien comprendre les processus du deuil et du rétablissement.

COMMENT VIVRE LA PEINE ET LES CYCLES DE TRANSITION

La peine est une réaction normale et extrêmement intime à un événement qui bouleverse la vie. C'est également un processus qui favorise bien souvent le rétablissement et la croissance personnelle. Le groupe peut offrir un soutien pendant, après ou en prévision d'un décès, soutien qui peut prendre la forme d'un accompagnement, d'une présence compatissante, d'une aide concrète, d'un endroit où l'on peut parler à cœur ouvert, loin des proches et des amis accablés. Il offre un endroit sûr où l'on peut donner libre cours à ses sentiments et les partager, ce qui permet de progresser vers un rétablissement, indépendamment de l'issue de la maladie.

DE LA PERTE AU RÉTABLISSEMENT [45]

Toute perte qui ébranle nos vies est une perte vitale. La mort en est la forme la plus évidente, qu'elle frappe un membre, un parent, un enfant, un proche, un ami ou un collègue. Mais il est d'autres pertes qui sont également déchirantes et sont cause de larmes et de souffrances. C'est le cas lorsqu'on perd une relation, un animal favori, son foyer ou son entreprise ; ou encore la santé, la mobilité ou la mémoire. La perte d'un sein ou d'un membre, du contrôle de la vessie ou des intestins est aussi une perte vitale. La disparition du sentiment d'être jeune ou immortel est fréquente après un diagnostic de cancer.

L'avenir que l'on souhaitait, sa dignité, le sentiment d'être maître de sa destinée, le sens de la vie, le sentiment d'identité, d'appartenance, même la sexualité sont souvent bouleversés, quand ils ne disparaissent pas carrément. En d'autres termes, on aura l'impression que la folie nous guette. C'est d'ailleurs la phrase qu'on entend le plus souvent chez les personnes en deuil : « J'ai bien cru que j'allais devenir fou. »

Quand on vit le deuil de ces pertes, on est envahi par des sentiments d'impuissance, de peur, de colère et de culpabilité. Simultanément, on est conscient qu'ils font l'objet de nombreux tabous imposés par la société. Certaines règles tacites, mais néanmoins précises et potentiellement néfastes, s'appliquent alors d'office. Ces règles ou mythes seront ranimés par les proches, les amis ou les collègues, et même par la communauté religieuse ou culturelle. En voici des exemples :

1. Tu ne dois pas parler de cela.
2. Tu ne dois pas pleurer, montrer ce que tu ressens ou donner libre cours à tes émotions ; tu vas déranger tout le monde.
3. Ne te fie à personne. Cette règle est appliquée par la personne endeuillée, lorsqu'elle se plie aux deux premières. (« Si je n'ai pas le droit d'éprouver quelque chose ou d'en parler, à qui pourrais-je confier mes sentiments, mon histoire, à qui pourrais-je dire mon besoin de parler de ce que j'ai perdu sans craindre d'être rejeté ou jugé ? »)
4. Ne pense pas par toi-même. (« Ce sont eux qui savent. Qui suis-je pour en douter ? ») On peut, à cause du deuil, se sentir impuissant et peu disposé à se fier à ses connaissances et à son instinct. On pense que les autres savent mieux que nous ce qui est bon et juste pour nous.
5. Ne change rien. C'est la plus dangereuse de ces règles. Le changement représente une menace pour ceux qui nous entourent, parce que si l'on change, ils devront en faire autant. Mais si l'on n'évolue pas, on ne pourra ni progresser ni se rétablir.

Telle est donc la pression qui s'exerce de l'intérieur — on a l'impression de perdre la tête. Et celle qui provient de l'extérieur — les règles. Comment le groupe peut-il intervenir ? En contribuant à supprimer les vieilles règles et à en fixer de nouvelles. Dans un groupe d'entraide pour les personnes atteintes de cancer, on peut :

- trouver un lieu sûr pour parler et raconter son histoire ;
- aider les autres membres à reconnaître et à maîtriser le quotidien ;
- apprendre à penser pour soi et à retrouver la maîtrise de sa vie ;
- souligner les changements, les événements marquants et la vie, sans se soucier de ce qui nous attend.

Le changement est inévitable. La croissance est facultative.

LES CYCLES DE TRANSITION

Le diagramme qui suit décrit l'afflux des émotions et les étapes que les gens traversent pendant le processus du deuil. Il a pour but de vous aider à comprendre quelques-unes des réactions les plus fréquentes pendant celles-ci, tout comme l'aide que les membres du groupe peuvent apporter. Tout le monde ne passe pas forcément par toutes ces étapes, ni dans cet ordre. Il est au contraire normal d'osciller entre les unes et les autres, à cause de toutes les influences que l'on subit.

CYCLES DE TRANSITION

DÉNI	*Réactions*	*Réponses du groupe*
	engourdissement	réconfort
	impression d'être dépassé	soutien
	colère	encouragement à s'exprimer

ENGAGEMENT	*Réactions*	*Réponses du groupe*
	recréer le futur	soutien
	commencer à prendre	reconnaissance
	des décisions	commémoration
	rechercher des symboles	
	du souvenir	
	prendre des risques	

RÉSISTANCE	*Réactions*	*Réponses du groupe*
	manque d'énergie	indiquer les sources de soutien
	confusion	rester calme
	solitude	
	douleur	

RÉSISTANCE	*Réactions*	*Réponses du groupe*
	commencer à admettre que la	réconfort
	mort ne détruit pas l'amour	validation
	devenir capable d'écouter	étude des options
	commencer à se reprendre	
	en main	

LES RITUELS ET LES CÉRÉMONIES

Le deuil est un processus qui aide à se détacher de ce que l'on a perdu et à surmonter progressivement cette épreuve. Les rituels qui y sont associés, comme les funérailles, les enterrements et les veillées, plongent leurs racines dans les cultures et les sociétés dont on est issu. Des expériences comme la maladie, la vieillesse ou une crise de la vie font naître le besoin de trouver un sens à sa vie et, bien souvent, on va revenir vers sa famille, sa culture ou sa communauté pour y chercher de l'aide.

Les rituels nous aident à reconnaître, à valider et à honorer le sens de toute vie. Nos ancêtres n'ignoraient rien des liens profonds qui unissent l'homme et la nature. Ils observaient les rythmes de celle-ci, ils honoraient le passage de la vie et de la mort, étaient attentifs aux cycles du changement. Ce faisant, ils étaient convaincus de s'aider mutuellement à grandir et à évoluer. Les rituels nous permettent d'être conscients du fait que nous sommes tous solidaires et atténuent l'impression d'être en pleine confusion et isolés. Ceux qui sont explicites engendrent un sentiment de réconfort, de paix et d'acceptation quand on vit des moments pénibles.

Les rituels d'un groupe peuvent être d'une grande simplicité : allumer une chandelle au début de la réunion, former silencieusement un cercle ou lire à tour de rôle des extraits d'un livre de pensées positives. Cela peut également consister à saluer les membres au début et à la fin des réunions. Un rituel est une pratique ou un comportement qui se répète de la même façon à un même moment et qui revêt une signification particulière pour ceux qui l'accomplissent. Une cérémonie est généralement plus solennelle et a lieu moins souvent. Par exemple, un groupe d'entraide organise chaque année une cérémonie à la mémoire de ceux qui sont décédés et pour rendre hommage à tous ceux qui lui ont consacré bénévolement du temps. Les familles et les amis sont invités, on allume des chandelles et les membres lisent à voix haute les noms de tous les adhérents dont ils veulent rappeler le souvenir ou de ceux qui sont les héros du jour.

Certains groupes utilisent des accessoires ou se livrent à diverses activités pendant leurs rituels ou cérémonies, par exemple :

- musique douce, percussions, clochettes, gong ;
- chants sacrés ou profanes interprétés en chœur ;
- chandelles (sauf dans les groupes pour personnes atteintes d'un cancer du larynx) ;
- lecture de poèmes ou de textes appropriés ;
- pierres, plumes, coquillages ou autres objets particuliers qui passent de main en main.

Quand une personne naît, nous faisons une grande fête ; quand elle se marie, ce sont des réjouissances sans fin ; mais quand elle meurt, nous faisons comme si rien ne s'était passé.

Margaret Mead

De nombreux groupes voient dans les rituels une façon d'aider les membres aussi bien à surmonter la perte et la douleur qu'à fêter un succès. Pour concevoir et accomplir un rituel, il faut du courage, de l'intuition, de l'humour et de la créativité.

Les rituels et cérémonies explicites nous touchent dans tout notre être — physiquement, affectivement, mentalement et spirituellement — et peuvent contribuer à notre rétablissement et favoriser un sentiment de bien-être. Éviter de parler de la mort ou de la perte peut s'avérer aussi douloureux ou aussi difficile que d'endurer toute une discussion sur le sujet. Voyez avec d'autres groupes comment ils évoquent le souvenir de ceux dont la vie s'achève ou qui sont décédés. Pensez aussi à discuter avec un conseiller pour les personnes endeuillées, une travailleuse sociale ou une infirmière qui ont suivi une formation pour soutenir ceux qui ont besoin de réconfort.

L'IMAGERIE MENTALE DIRIGÉE

Certains groupes intègrent à leur rituel ou à leur pratique la visualisation ou imagerie mentale dirigée. Si c'est là quelque chose de nouveau pour votre groupe ou si des membres récents ignorent tout de cette méthode, vous pourriez commencer par expliquer qu'il s'agit d'un exercice conçu pour «aider à changer de vitesse, à se concentrer, à oublier les tracas quotidiens et à se sentir bien tous ensemble». L'imagerie mentale dirigée ne peut être efficace que si tous les participants sont détendus.

Si vous avez l'intention d'employer cette méthode dans votre groupe, vous voudrez sûrement commencer par vous exercer chez vous avec des amis et des proches, ou encore avec un magnétophone. Pendant l'exercice, parlez beaucoup plus lentement et avec de plus longues pauses que d'habitude. Rappelez-vous que ceux qui vous écoutent sont indulgents — si vous sautez des mots ou si vous bredouillez, ralentissez et reprenez le tout. L'exercice sera plus facile si vous le débutez chaque fois de la même façon. Vous pourrez adapter à votre goût l'exemple de séance d'imagerie mentale présenté ici.

Commencez par aider les membres à faire quelques exercices de relaxation simple, axés sur la respiration. Puis, enchaînez en ces termes :

« Installez-vous confortablement sur votre chaise. Déchaussez-vous et posez les pieds bien à plat sur le sol, vis-à-vis des épaules, et mettez les mains sur les genoux, ouvertes et les paumes vers le haut.

« Fermez lentement les yeux. Commencez à surveiller votre respiration et voyez comme son rythme va ralentir. Tout en respirant, sentez l'énergie gagner votre corps et l'emplir d'une vitalité sereine. Continuez de respirer lentement et remarquez que les tensions accumulées s'effacent peu à peu. Sentez comme votre visage, votre bouche et vos yeux se relâchent, comme vos épaules et votre cou s'affaissent et s'alourdissent. Vous noterez que votre respiration est lente et paisible.

« Imaginez maintenant que vous vous trouvez dans un endroit qui vous est familier. C'est un endroit confortable, rassurant et beau ; c'est votre sanctuaire. Vous êtes déjà venu en ce lieu intime et chaleureux ; vous y êtes de nouveau accueilli par des lumières tamisées, des senteurs agréables et cette impression de déjà-vu qui soulignent votre retour. Observez les lumières, les couleurs, les parfums de votre sanctuaire. Prenez aussi conscience de votre sentiment de satisfaction et d'appartenance.

« Vous remarquerez qu'un chemin traverse votre sanctuaire.

Maintenant, vous vous tenez au bord de ce chemin et vous regardez au loin la direction qu'il emprunte. Vous vous mettez en route et, tout en le suivant, vous apercevez dans le lointain une forme qui se dirige vers vous en répandant une lumière vive et brillante. Plus vous vous rapprochez l'un de l'autre, mieux vous la distinguez ; vous pouvez voir son apparence et ses vêtements, ses traits se précisent.

« Accueillez-la de bon cœur. Vous êtes maintenant conscient que ce visage qui vous regarde est empreint de sagesse et d'amour ; ses yeux brillent de reconnaissance et d'amour ; cette sagesse et cet amour sont uniquement pour vous. Cette personne vous connaît bien. Elle vous apporte un message important et salutaire, un message qui vous guidera dans votre vie. Vous avez peut-être la conviction qu'il vous est destiné, mais vous êtes confus et son sens vous échappe pour le moment. Silencieusement, la personne vous regarde droit dans les yeux et vous transmet ainsi son message.

« Écoutez attentivement ce qu'elle vous dit. Écoutez ce qu'elle a à vous enseigner. Acceptez ses conseils. Interrogez-la si vous le souhaitez. Il est possible qu'elle vous réponde maintenant — sinon, ne perdez pas courage, vous connaîtrez bientôt les réponses.

« Avant que cette visite se termine, vous remarquerez que votre guide a un cadeau pour vous. Celui-ci a été choisi tout spécialement afin de vous aider dans cette étape de votre voyage. Tendez la main et recevez ce témoignage d'amitié qui vous soutiendra tout au long de votre progression vers un rétablissement.

« Quand vous sentirez que cette expérience de rapprochement a atteint sa complétude, remerciez votre guide, exprimez-lui votre gratitude et rappelez-vous que vous vous reverrez dans votre sanctuaire. Cet endroit et ce guide sont vôtres pour toujours. La lumière qui nimbe votre guide vous enveloppe également.

« Tranquillement et lorsque vous serez prêt, revenez lentement sur vos pas pour regagner le présent. Recommencez à surveiller votre respiration. Reprenez doucement conscience de votre corps, de votre poids sur votre chaise. Bougez lentement en débutant par vos mains et vos pieds. Ouvrez les yeux progressivement en souriant.

«Regardez autour de vous. Rejoignez le groupe. Votre corps est reposé, éveillé, conscient et prêt.»

RÉSUMÉ

Le deuil est un processus de changement ou de transition, distinct de la crise immédiate déclenchée par la perte et la douleur. Durant cette période de changement ou de transition, on apprend lentement à vivre dans les liens de l'amour et de l'attachement sans devenir captif de la souffrance. C'est un processus de guérison lent, douloureux et qui prend beaucoup de temps, une progression vers l'intégralité de l'être.

Un deuil n'est jamais vraiment fini. Nous allons vivre un deuil «inachevé» jusqu'au jour de notre mort, jusqu'au moment où nous devrons renoncer à tout ce qui compte pour nous. Le processus de deuil n'est pas un voyage qui s'accomplit en ligne droite ou avec une carte. Nous errons à travers le territoire du deuil, d'abord en nous cramponnant à notre peine et à notre souffrance, puis en nous en détachant.

Le trapéziste symbolise bien le travail de deuil. Nous nous balançons en nous raccrochant aux souvenirs et à tout ce qui nous est arrivé de bien — les liens de l'amour et de l'attachement — et nous laissons aller tout ce qui nous retient et nous empêche de progresser — la culpabilité, la rancune, l'amertume ou l'incapacité de pardonner à soi-même ou aux autres. Il ne faut pas oublier que nous sommes le lien entre le passé et l'avenir. Comme le trapéziste, nous lâchons un trapèze, confiants de pouvoir trouver et attraper le prochain au passage pour nous lancer dans une expérience totalement nouvelle. Le trapèze est un art ; il faut s'exercer longtemps avant de trouver nos rythmes naturels et d'acquérir suffisamment de confiance pour lâcher une barre et d'intrépidité pour attraper la suivante au vol.

Acquérir l'art du détachement tout en tenant bon est une démarche qui se poursuit la vie durant. Soyez bienveillant envers vous-même et les membres de votre groupe, parce que chacun d'entre vous en est à une étape différente du processus de deuil. Vous aurez parfois l'impression que vous devez tous aller de l'avant et « reprendre une vie normale ». Il est important de bien comprendre que vous et votre groupe continuez de vivre et que « l'ancienne vie normale » appartient définitivement au passé. Vous êtes dans une phase de transition. C'est un passage progressif vers une nouvelle vie normale.

Une impression de vide peut à l'occasion vous gagner, tout comme les autres membres. Ne vous hâtez pas de combler ce vide. C'est une zone neutre — une période d'attente, semblable aux changements de saisons ; comme l'automne, lorsque les feuilles sont tombées et que le silence semble régner partout. Suit une période d'attente, qui permet de se reposer avant l'émergence d'une nouvelle vie et d'une énergie toute neuve.

POÈMES DU SOUVENIR

« REGRETTE-MOI, MAIS LAISSE-MOI PARTIR »

Quand j'arriverai au bout de ma route
Et que le soleil se couchera pour moi,
Je ne veux pas de rites dans une pièce où règne la tristesse
Pourquoi pleurer pour une âme enfin libre ?
Regrette-moi un peu, mais pas trop longtemps
Et maintenant, la tête courbée,
Souviens-toi de cet amour que nous avons partagé
Regrette-moi — mais laisse-moi partir.
Car c'est un voyage que nous accomplirons tous
Et que chacun doit entreprendre dans la solitude.
Tout cela s'inscrit dans le Schéma du Maître
C'est une étape sur la route qui mène à la maison.
Quand tu te sentiras seule, la mort dans l'âme,
Va voir les amis que nous connaissons
Et oublie ton chagrin en faisant le bien
Regrette-moi — mais laisse-moi partir.

AUTEUR INCONNU

« ÉLOGE FUNÈBRE PRONONCÉ PAR NEIL AU CHEVET DE NINA »

Quand nous traverserons la forêt de la vie, en quête d'un chemin,
et que le soleil dentellera les feuilles,
nous saurons que tu es là.
Quand nous gravirons les collines et que nous serons à bout
*   de souffle,*
une brise nous rafraîchira le front et
nous saurons que tu es là.
Quand nous grimperons plus haut que les nuages dans un
*   ciel orageux*
pour atteindre l'azur qui s'étend au-delà,
nous saurons que tu es là.
Et, au crépuscule, quand nous verrons un ciel meurtri
par les efforts du soleil pour rester au zénith,
nous saurons que tu es là.

NINA TYMOSZEWICZ DOCHERTY
décédée le 17 avril 1993, à l'âge de 39 ans.
Mère de Bruce et de Liam,
épouse de Neil,
amie de Sarah, de Salah et de bien d'autres.

« Si je pouvais recommencer ma vie »

J'aurais le courage de faire davantage d'erreurs, la prochaine fois. Je me détendrais, je me dégourdirais, je serais plus sotte que je ne l'ai été pendant ce voyage. Je prendrais moins de choses au sérieux. Je prendrais plus de risques. J'escaladerais davantage de montagnes et traverserais davantage de rivières à la nage. Je mangerais plus de crème glacée et moins de fèves. J'aurais peut-être plus de problèmes, mais j'en aurais moins qui soient imaginaires.

Tu vois, je faisais partie de ces gens qui vivent sagement et sainement heure après heure, jour après jour. Oh! j'ai bien eu de bons moments et si c'était à refaire, j'en aurais davantage. En fait, j'essaierais de n'avoir rien d'autre. Seulement de bons moments, l'un après l'autre, au lieu de vivre pendant tant d'années chaque journée à l'avance. Je faisais partie de ces personnes qui ne vont jamais nulle part sans un thermomètre, une bouillotte, un imperméable et un parachute. Si je pouvais recommencer, j'emporterais bien moins de bagages.

Si je pouvais recommencer ma vie, je partirais pieds nus au début du printemps et je continuerais comme cela jusqu'au cœur de l'automne. J'irais danser plus souvent, je ferais plus de tours de manège. Je cueillerais davantage de marguerites.

NADINE STAIR

L'humour
à la rescousse

9

Je trouve qu'il y a bon nombre de choses effrayantes dont nous pouvons rire ensemble, une fois que nous nous sommes autorisés à avoir vraiment peur[46].

C'est lorsqu'il règne un respect mutuel, une adhésion commune au but poursuivi, une tolérance face aux conflits et un solide sentiment de cohésion qu'un groupe est le plus efficace. De nombreuses personnes ont souvent parlé de l'importance du rire pendant les réunions. Le rire fait contrepoids aux affres du cancer, tout en étant un facteur de rapprochement. On dit souvent qu'une réunion a été bonne si l'on a beaucoup ri. La capacité des membres de rire et de faire de l'humour renforce le travail de n'importe quel groupe d'entraide.

Il y a une trentaine d'années, Norman Cousins a découvert quelque chose que nous commençons seulement à admettre : le rire peut nous aider à nous rétablir. En 1964, Cousins, qui était alors le rédacteur en chef du *Saturday Review*, apprit qu'il était atteint de spondylarthrite ankylosante, une maladie qui entraîne une dégénérescence de la colonne vertébrale. Ses médecins lui déclarèrent qu'il n'avait qu'une chance sur cinq cents de s'en sortir. Cousins décida donc de prendre lui-même son traitement en main — le rire étant, bien sûr, en bonne place. Pendant toute sa maladie, il visionna de vieux films des Marx Brothers, lut des anas et des sottisiers, et demanda à ses amis de lui raconter des blagues — convaincu que les pensées positives suscitées par le rire renforceraient son système immunitaire.

Non seulement Cousins recouvra la santé, mais il découvrit sa vocation. « J'ai appris à ne plus jamais sous-estimer la capacité de l'esprit et du corps humains à se régénérer, même lorsque les pronostics semblent catastrophiques », écrivit-il dans un livre qui constituait une véritable percée, *La Volonté de guérir*. La publication d'extraits, en 1976, dans *The New England Journal of Medicine* fit sensation. Comme l'explique Cousins dans son dernier ouvrage,

La biologie de l'espoir, le rôle du moral dans la guérison, rire de bon cœur équivaut à faire un exercice exigeant : « Cela vous fait souffler à pleins poumons, accélère la fréquence cardiaque, élève la pression sanguine, augmente la consommation d'oxygène, fait travailler les muscles du visage et de l'estomac, et détend les autres muscles. » Il a d'ailleurs trouvé une formule particulièrement heureuse pour résumer le tout : « Rire à gorge déployée, c'est comme faire du jogging dans son corps. »

Des preuves matérielles incontestables confirment que l'humour contribue au rétablissement. Selon Leek Berk et Stanley Tan, chercheurs à l'Université Loma Linda, en Californie : « Un bon rire provoque des réactions chimiques et moléculaires positives dans tout le corps. Quand on dit : "Je me sens bien de la tête aux pieds", cela dit bien ce que cela veut dire. Nous pouvons influer sur notre biochimie du seul fait de notre humeur. Les preuves à cet égard ne cessent de s'accumuler ; c'est simplement que nous commençons tout juste à nous y intéresser. » Les Grecs construisaient leurs centres de guérison près des théâtres en plein air, ce qui permettait aux patients d'assister aux spectacles dans le cadre de leur traitement. Comme le disait Socrate : « On ne peut guérir le corps si l'on ne guérit pas l'âme. »

Maintenant que l'idée de recourir à l'humour comme méthode thérapeutique est bien ancrée, les groupes d'entraide pour les personnes atteintes de cancer n'ont que le choix des moyens pour répandre la bonne nouvelle parmi leurs membres. De plus en plus d'hôpitaux consacrent une salle à l'humour et conservent des accessoires burlesques dans des chariots. Loretta LaRoche, qui donne partout des conférences sur les vertus thérapeutiques de l'humour et qui s'est décerné un diplôme en « Ça n'a pas de sens », professe que « la vie n'est pas une répétition générale ». Membre auxiliaire du Mind/Body Medical Institute, affilié à la faculté de médecine de Harvard, Mme LaRoche a expliqué devant d'innombrables groupes les liens entre l'humour et la réduction du stress. Ses cassettes vidéo sont visionnées dans de nombreux hôpitaux et elle est l'auteure de RELAX — *You May Only Have a Few Minutes Left*. « La science et tout ça, c'est bien joli, affirme-t-elle, mais nous vivons dans une société qui progresse en tablant sur les faits. Si on peut augmenter le nombre de lymphocytes T, ces cellules tueuses, on pourrait bien se mettre à rire. C'est une simple question de bon sens, tout le monde connaît l'efficacité du rire. Le rire est relié à la joie qui est elle-même reliée à la gratitude. La gratitude d'être en vie. »

Lors d'une récente étude[47] menée dans un centre de soins palliatifs auprès de patients en phase terminale, on a interrogé 14 personnes à propos de l'humour et de la part qu'il tenait dans leur vie avant l'apparition du cancer. Quatre-vingt-cinq pour cent d'entre elles pensaient que l'humour pourrait les aider dans les circonstances. Pourtant, elles n'étaient que 14% à l'avoir intégré à leur vie au moment de l'étude. Et 85% de ces personnes ont affirmé que l'humour engendre l'espoir. Elles avaient développé un sentiment d'appartenance ou de solidarité en riant avec les autres, et l'humour les avait amenées à envisager autrement une situation pourtant alarmante et avait intensifié leur goût de la joie ou du plaisir, tout en leur apportant une plus grande détente physique.

COMMENT INTÉGRER L'HUMOUR AUX GROUPES D'ENTRAIDE POUR LES PERSONNES ATTEINTES DE CANCER

Utilisé à bon escient, l'humour peut contribuer à établir des relations positives entre les membres et à améliorer l'esprit du groupe. Mais ce n'est pas tout le monde qui peut raconter des blagues. L'humour peut être trompeur. Il faut absolument faire preuve de doigté. Il y a des milliers de façons de stimuler le rire et la joie. Voici, à cet égard, quelques suggestions.

1. L'une des façons les plus simples d'appliquer la thérapie par le rire consiste à raconter des histoires. Donnez le ton en usant de votre habileté à « vous mettre en vedette », chaque fois que l'occasion s'en présente. L'une de nos participantes nous a raconté ce qui suit :

   Rose assistait à un congrès médical on ne peut plus sérieux. Elle se sentait mal à l'aise parce que, apparemment, tous les participants étaient des médecins qui avaient soit un téléavertisseur, soit un téléphone cellulaire, soit un ordinateur portatif. N'ayant rien de tout cela, Rose avait l'impression d'être une moins que rien. Elle rentra chez elle et quand elle revint le lendemain, elle arborait un grand sourire... et, à la main, son ouvre-porte de garage.

2. Intégrez l'humour à la culture ou à la mentalité de votre groupe. Plusieurs hôpitaux ont maintenant des chariots contenant des accessoires comiques et des « salles d'humour » avec des jouets, des jeux, des farces et attrapes ainsi que des cassettes vidéo pour les patients et pour le personnel. Ajoutez quelques recueils de blagues et des livres humoristiques à la bibliothèque du groupe.

3. Rappelez-vous que l'humour est un outil et non une arme. Rire *en groupe* instaure la confiance, rapproche les gens et permet de plaisanter à propos de nos difficultés communes. Rire *des* autres détruit la confiance, érode le travail d'équipe et embarrasse tout le monde. Servez-vous de l'humour pour s*olidariser* les membres.

   L'humour est malvenu au milieu d'une conversation sérieuse ou comme protection pendant une discussion faisant intervenir des émotions douloureuses. Dans de tels cas, il détourne l'intérêt et nuit au groupe. Il faut alors rappeler aux membres qu'on discutait d'un sujet pénible.

Réfléchissez à ces quelques conseils de Loretta LaRoche[48].

1. Achetez un accessoire ridicule et portez-le. Mon préféré est une paire de lunettes avec moustache à la Groucho Marx. Mettez-le lorsque vous avez tendance à envisager le pire. Je porte le mien quand je conduis dans Boston, surtout au moment de plonger dans la circulation. Les autres me cèdent toujours le passage.

2. Faites la liste de vos jurons favoris et assignez un numéro à chacun. Si quelqu'un vous tombe sur les nerfs, ne jurez pas. Dites seulement le numéro. Votre interlocuteur n'y comprendra rien et, en le quittant, laissez tomber un « cinq ! ».

3. Soyez sensible à l'instant présent. Ne mettez pas votre bonheur ou votre vie de côté en attendant mieux. Je termine souvent mes conférences par cette formule : « Hier appartient au passé. Demain est un mystère. Et aujourd'hui est un cadeau. C'est ce que l'on appelle le présent. »

Ce que m'a appris mon chien[49]

- Ne laissez jamais passer l'occasion de faire une promenade en voiture.
- Quand la personne aimée rentre à la maison, courez à sa rencontre.
- Soyez obéissant quand il y va de votre intérêt.
- Faites de petits sommes et étirez-vous avant de vous lever.
- Courez, faites le fou et jouez tous les jours.
- Mangez avec appétit et enthousiasme.
- Soyez loyal.

- Ne vous prenez jamais pour ce que vous n'êtes pas.
- Si ce que vous voulez est enterré, creusez jusqu'à ce que vous le trouviez.
- Quand quelqu'un a eu une mauvaise journée, gardez le silence, asseyez-vous à ses côtés et collez votre tête contre lui.
- Misez sur l'attention et laissez les autres vous toucher.
- Évitez de mordre lorsqu'il suffit de grogner.
- Quand il fait chaud, buvez beaucoup d'eau et allongez-vous sous un arbre ombreux.
- Quand vous êtes heureux, sautez de joie et remuez en tous sens.
- Faites partie d'un groupe d'amis.
- Savourez le plaisir d'une longue promenade.

« RITUEL NOCTURNE »
Je dépose ma perruque sur la commode
et ma prothèse contre le meuble
et, grâce à Dieu, je peux encore aller me coucher
avec mon homme et toutes mes dents !

Janet Henry[50]

Le voyage vers le rétablissement : quand l'esprit aide le corps à recouvrer la santé

PAR ALASTAIR CUNNINGHAM, PH.D., C.PSYCH.
SCIENTIFIQUE PRINCIPAL,
ONTARIO CANCER INSTITUTE

10

Les groupes d'entraide et les groupes de soutien bien structurés offrent aux personnes atteintes d'un cancer et à leurs familles de nombreux avantages, comme la possibilité de partager leur fardeau émotionnel, de reprendre espoir, d'apprendre à faire face auprès de patients plus expérimentés. Les groupes nous aident bien souvent à comprendre que nous ne sommes pas seuls à nous débattre dans un monde étrange et terrifiant. Comme je suis moi-même rétabli et que je fais de la recherche et travaille depuis plus de 20 ans en qualité de psychologue clinicien avec des patients qui ont un cancer, je crois profondément en cette forme de soutien émotif et concret pour laquelle je prends d'ailleurs fait et cause. Dans ce chapitre, toutefois, je vais tenter d'y ajouter quelque chose : dès l'instant où nous avons décidé de partager ce que nous vivons et de nous inspirer de l'exemple des autres, nous accédons à un fantastique potentiel qui réside en nous-mêmes. C'est ce potentiel qui, en libérant des capacités enfouies dans notre esprit, nous permet de nous rapprocher plus intensément de notre moi et de notre psychisme. La découverte et la mise à contribution de nos facultés psychologiques et spirituelles peuvent faire toute la différence lorsqu'on doit apprendre à vivre avec un cancer.

Le cas échéant, ces facultés peuvent également nous aider à connaître une mort sereine. Dans bien des cas, des patients qui s'en étaient prévalu ont vécu plus longtemps — et parfois même beaucoup plus longtemps — que prévu.

On pourrait ne voir là que des présomptions, alors qu'il s'agit des conclusions d'une recherche effectuée à l'Ontario Cancer Institute ainsi que d'autres recherches menées un peu partout à travers le monde sur lesquelles je reviendrai plus loin. Les chercheurs acquis à cette nouvelle discipline qu'est la psycho-oncologie — qui traite de l'interaction entre l'esprit et le cancer — ont eu le plus grand mal à démontrer ce qui est pourtant évident pour toute personne ayant participé à un groupe d'entraide efficace : cette forme de soutien améliore la qualité de vie. Néanmoins, la très grande majorité des personnes vivant avec le cancer n'y ont toujours pas droit et cela ne fait pas encore partie intégrante des traitements conventionnels.

La recherche a cependant été bien au-delà des pratiques médicales actuelles en démontrant l'existence de deux importants facteurs qui relèvent de l'autonomie psychologique : tout d'abord, si l'on ajoute au soutien une formation aux habiletés d'adaptation spécifiques, la qualité de vie des patients s'en trouve sensiblement améliorée (environ deux fois plus qu'avec une simple assistance) ; le second facteur, davantage controversé, qui consiste à s'engager à fond dans ce genre de travail, à entreprendre ce que j'appelle un « voyage vers le rétablissement », est réellement susceptible de prolonger la vie. Voyons ce qu'il en est.

DEUX DÉCISIONS CONCERNANT LES PERSONNES ATTEINTES D'UN CANCER

L'une des premières choses que j'explique aux personnes qui viennent suivre notre programme de Voyage vers le rétablissement, au Princess Margaret Hospital, à Toronto, c'est qu'à l'annonce d'un diagnostic de cancer on a deux importantes décisions à prendre. La première est celle-ci : vais-je adopter un comportement actif ou passif ? Être passif signifie qu'on se contente de se présenter à la clinique pour y suivre son traitement, puis qu'on essaie ensuite de ne plus penser au cancer. C'est là une réaction normale dans notre culture et que les centres médicaux n'hésitent pas, bien souvent, à encourager. Être actif, en revanche, signifie qu'on recherche des moyens de s'aider soi-même, en plus de la thérapie.

Ce qui nous amène à la seconde décision : quelles sont ces autres « façons de se rétablir » et où dois-je les chercher, « en moi » ou « à l'extérieur » ? Se tourner vers « l'extérieur » implique la recherche de méthodes et de pratiques parallèles, comme des diètes ou des substances injectables particulières qui peuvent susciter un certain espoir et donner l'impression qu'on maîtrise la situation, mais dont l'efficacité n'a pas encore été prouvée scientifiquement. Regarder « en soi » relève d'un tout autre concept ; cela veut dire qu'on explore le potentiel de son moi et de son esprit afin de trouver comment s'aider soi-même. C'est cette démarche que je préconise ici. La première étape consiste à acquérir certaines habiletés d'adaptation élémentaires.

L'ACQUISITION D'HABILETÉS D'ADAPTATION — LA RELAXATION

La plus élémentaire de ces habiletés, dont l'acquisition devrait se faire dès l'école parce qu'elle est tellement simple et efficace, est la relaxation profonde. Il n'est pas question ici de se détendre devant la télévision, un verre de vin à la main, mais plutôt d'explorer tout son corps afin d'en détecter les tensions et de les « relâcher », où qu'elles soient. C'est une habileté qui demande un peu d'expérience — et qui correspond, dirais-je, à peu près au même degré de difficulté que d'apprendre à monter à bicyclette —, mais une fois qu'on la maîtrise, elle est extrêmement utile pour contrer le stress (comme vous aider à vous rendormir, lorsque vous vous réveillez à trois heures du matin, l'esprit en déroute, ou quand vous restez collé au téléphone, attendant avec angoisse les résultats de vos examens). Il existe d'innombrables méthodes de relaxation enregistrées sur cassette et disponibles, entre autres, dans les boutiques de style « Nouvel Âge ». Je vous recommande celles qui vous aideront à prendre des mesures concrètes afin de maîtriser consciemment ce qui se passe dans votre corps, au lieu de vous contenter d'écouter passivement de la musique ou une voix.

LES HABILETÉS D'ADAPTATION : LA PENSÉE EN ÉVEIL, L'IMAGERIE MENTALE ET L'ÉTABLISSEMENT D'OBJECTIFS

Il y a trois ou quatre habiletés d'adaptation élémentaires que vous pouvez apprendre. Toutes les autres n'en sont qu'une version élaborée. Dans notre programme, nous expliquons, après la période de relaxation, que l'on peut « observer » ou surveiller ce qui se passe dans notre esprit, dans nos pensées. Nous y sommes tous plus ou moins aptes, mais nous pouvons apprendre à être davantage à l'écoute ou à « capter » ce que nous nous disons constamment en nous-mêmes. C'est une habileté très importante, parce que nos pensées sont à l'origine de notre expérience. Par exemple, bon nombre de personnes vivant avec le cancer se répètent inlassablement que leur maladie est une catastrophe insurmontable, qu'elles sont condamnées et qu'il n'y a rien à faire. Cette histoire qu'elles se racontent devient en quelque sorte leur « univers » mental. Nos émotions suivent nos pensées de près et cette forme morbide d'autopersuasion peut provoquer un état dépressif. En apprenant à « capter » nos pensées, nous pouvons intercepter ce mécanisme négatif et soit le supprimer, soit le canaliser dans une direction plus positive (par exemple : « cette douleur m'indique que mon corps lutte contre le cancer »).

L'amélioration de nos échanges avec les autres est liée à la découverte et à l'acceptation de ce que nous pensons et ressentons réellement, puis à notre faculté d'en faire part à quiconque consent à nous écouter. Cette forme d'écoute et d'échange est souvent pratiquée avec beaucoup d'efficacité dans les groupes d'entraide.

L'imagerie mentale consiste à créer dans sa tête des « images » (ou des sensations sonores, tactiles ou autres). Quand nous nous imaginons quelque chose avec force, notre corps est incapable de distinguer entre la représentation mentale et la « réalité », et nous réagissons comme si la chose imaginée était bien réelle. C'est là un phénomène que les athlètes professionnels, les gens d'affaires, les comédiens et autres ont compris depuis longtemps, mais qui n'est toujours pas admis dans la pratique médicale.

L'imagerie mentale contribue de multiples façons au rétablissement ; son action la plus simple réside dans la relaxation. (Imaginez que vous êtes en vacances ou en compagnie de gens que vous aimez et qui comptent pour vous. Votre corps réagira en conséquence !) Cela permet de désamorcer l'anxiété. Ainsi, lorsqu'on m'a conduit en salle d'opération pour une biopsie et que je n'avais pas la moindre idée de ce qu'ils allaient trouver, je nous ai enveloppés, moi et l'équipe chirurgicale, dans un cocon lumineux et j'ai pu affronter la situation en toute sérénité. Plusieurs de mes patients m'ont raconté des histoires semblables. La représentation mentale du cancer attaqué ou vaincu par les systèmes de défense de l'organisme a fait couler beaucoup d'encre depuis quelques décennies. C'est une stratégie de contrôle que beaucoup de patients trouvent efficace. Néanmoins, aucune recherche n'a encore vérifié si elle a réellement les effets escomptés. On se sert également de l'imagerie pour « entrer en contact » avec une entité spirituelle, comme Dieu, Jésus ou Bouddha, ou avec sa sagesse intérieure (c'est-à-dire inconsciente) en invoquant un « Guérisseur interne » avec qui l'on peut converser. Certains utilisent l'imagerie pour explorer des aspects d'eux-mêmes, perçus comme des personnages intérieurs, et pour aider ces figures symboliques à grandir et à évoluer, avec, comme conséquence apparente, le rétablissement. L'imagerie mentale n'est ni une supercherie ni un truc ; c'est plutôt un langage d'une extraordinaire puissance. Malheureusement, on est encore porté, dans notre société matérialiste, à la sous-évaluer.

La détermination d'objectifs est elle aussi importante, parce que, sans une raison impérieuse de continuer à vivre, pas plus notre corps que notre esprit ne sera vraisemblablement capable de résister de toutes ses forces contre une maladie potentiellement fatale. Nous pouvons utiliser la relaxation, suivie de l'imagerie mentale, pour nous représenter mentalement ce qui compte vraiment pour nous. Pendant l'un de nos exercices, nous demandons aux participants d'imaginer dans leur tête une journée idéale qui aurait lieu quelques années plus tard, de se voir en bonne santé et en train de faire ce qui leur importe le plus. Une fois « revenus » de cet état de relaxation, ils doivent rédiger un paragraphe ou deux afin de consigner et de préserver ce qu'ils ont ainsi appris.

Voici donc quelles sont les techniques élémentaires d'autonomie psychologique. De nombreuses personnes les découvrent par elles-mêmes, en s'aidant de livres et de cassettes, quoique cette initiation soit généralement plus facile avec un professeur expérimenté. Un groupe d'entraide peut aider ses membres en confiant à des maîtres fiables et aguerris la tâche d'expliquer ces techniques aux participants et de les guider dans leur apprentissage ; cela peut s'avérer aussi valable que la diffusion d'informations sur le cancer et sur les traitements médicaux. Notre propre recherche nous a démontré que pratiquement tout le monde peut apprendre et appliquer ces méthodes, mais que seule une infime proportion des patients atteints d'un cancer y ont recours. Pourquoi ? Je pense que c'est parce que cette démarche est peu connue et même inquiétante aux yeux de beaucoup, et parce qu'elle n'est pas entérinée par son intégration aux traitements conventionnels. Elle exige également un minimum d'efforts, soit entre une demi-heure et une heure de pratique quotidienne. Mais ses effets — soulagement de l'anxiété et guérison de la dépression — en valent hautement la peine. Les autres avantages incluent l'apaisement de symptômes physiques, comme la fatigue, la tension et la douleur, sans parler d'un sentiment de maîtrise qui fait contrepoids à la mentalité de « victime », relativement fréquente chez les personnes atteintes d'un cancer.

LE PERFECTIONNEMENT DE CES HABILETÉS

Les formes d'acquisition de l'autonomie décrites plus haut s'inscrivent dans un processus qui ne s'accomplit pas dans le temps de le dire. C'est pourquoi je parle de « voyage ». On peut entreprendre ce voyage de différentes façons, en accord avec le style ou les besoins de chacun. Mais pour atteindre un maximum d'efficacité, ce processus doit se dérouler progressivement et non en papillonnant d'une technique attrayante à une autre.

Qu'est-ce qui vient après les habiletés élémentaires ? Très peu d'établissements de santé offrent des cours de perfectionnement en techniques d'adaptation conçues spécifiquement pour les personnes vivant avec le cancer. Des individus entreprenants peuvent réussir à mettre au point leur propre programme après avoir suivi des ateliers et des cours destinés au grand public. Dans notre cas, le programme supérieur, ou « Stade II », comprend une révision des premières méthodes avec approfondissement de la pratique et une initiation à trois techniques majeures — la méditation, la méthode du « Guérisseur interne » qui permet d'accéder à la sagesse inconsciente, et la tenue d'un journal psychologique (afin de noter et d'analyser les événements quotidiens ayant une charge émotive substantielle).

La méditation, cela va sans dire, est connue depuis des siècles dans la plupart des cultures. Ses méthodes sont innombrables, mais l'objectif fondamental est de parvenir à une concentration axée sur l'absence relative de pensée. Outre ses effets apaisants sur l'organisme, la méditation nous met en contact avec des aspects de nous-mêmes qui se situent au-delà de l'habituelle conscience restreinte des pensées et des sensations. Dès lors, nous pouvons entrevoir notre moi « profond », trouver des réponses aux questions qui nous perturbent, et comprendre ce qui nous importe, mais qui nous est inaccessible dans l'état habituel de la conscience « active ». Mais, par-dessus tout, la méditation est un moyen d'atteindre (de devenir conscient de) un ordre supérieur ou transcendant de pouvoir ou d'intelligence, auquel on a donné divers noms à travers l'histoire : Dieu, l'Unique, le Tao, l'Esprit universel, etc. La « voie spirituelle » nous mène vers cette conscience et vers la connaissance, par la méditation, la réflexion et l'action harmonieuse. Lorsque nous cherchons à nous rétablir par nous-mêmes, ce travail donne souvent un sens à des événements autrement inexplicables, y compris le cancer. Les techniques d'autoguérison, comme celles que nous venons de voir, peuvent apporter un réconfort et un soutien menant à l'acceptation délibérée de tout ce qui nous arrive (ce qui n'a strictement rien à voir avec le renoncement). La personne qui s'initie aux habiletés d'adaptation, à la méditation et à la spiritualité en vient inévitablement à s'engager dans une quête de sens et découvre que la question « pourquoi cela m'arrive à moi ? » est intimement liée à d'autres questions, comme « Quelle signification donner à ma vie ? Que suis-je censé faire de ma vie ? » Comme beaucoup l'ont constaté — notamment les merveilleuses personnes atteintes d'un cancer et avec lesquelles j'ai eu le privilège de travailler —, les réponses à ces questions fondamentales apparaissent pendant le voyage spirituel. Nombreux sont ceux qui ont ainsi trouvé la paix.

Si ces idées vous sont nouvelles, vous pourriez penser de prime abord qu'elles n'ont aucun sens. Mais si vous tenez vraiment à vous aider, gardez l'esprit ouvert et sachez aller au-delà des apparences. En êtes-vous capable ? Mais peut-être préférerez-vous vous joindre à un groupe qui apprend et pratique les techniques d'autoguérison. Ou encore voudrez-vous vous renseigner sur la façon dont les membres de votre groupe pourront en apprendre plus long à ce sujet. Vous aurez alors besoin d'un maître dûment formé qui vous aidera à découvrir les mécanismes de votre esprit en privilégiant l'acquisition de nouvelles méthodes efficaces (et le désapprentissage des anciennes techniques négatives). Ce travail psychologique n'est pas toujours aisé et peut durer longtemps, mais il est très enrichissant. Il prépare la voie à la phase ultime, à la quête spirituelle et à la découverte d'un sens. Vous aurez probablement besoin d'un guide expérimenté pour cette étape également. Il pourra s'agir d'un guide en méditation ou en toute autre discipline spirituelle reconnue, laquelle pourrait appartenir à l'une des nombreuses croyances, comme le yoga ou le bouddhisme, ou à une confession dérivée du christianisme ou du judaïsme. Assurez-vous de choisir un maître qui vit ce qu'il prêche !

QUELS SONT LES EFFETS ÉVENTUELS DU VOYAGE VERS LE RÉTABLISSEMENT SUR L'ÉVOLUTION DU CANCER ?

La recherche en ce domaine est encore embryonnaire. Vous avez peut-être entendu parler des expériences largement publicisées d'Irvine Yalom, David Spiegel et autres chercheurs de l'Université de Stanford. Pendant plus d'un an, ceux-ci ont travaillé, dans le cadre d'un groupe d'appui thérapeutique, avec des femmes ayant un cancer du sein métastatique. D'autres femmes présentant les mêmes conditions et choisies au hasard n'ont eu aucun contact avec le groupe d'appui. Dix ans plus tard, on a constaté que les femmes de la première cohorte avaient vécu en moyenne deux fois plus longtemps que les autres. Cette expérience a évidemment suscité un immense intérêt parmi les partisans des méthodes psychologiques qui y voyaient une addition valable aux traitements anticancéreux. Elle a été suivie d'une étude similaire auprès de personnes présentant un mélanome malin (cancer de la peau), laquelle semble également inférer que l'autonomie psychologique pourrait prolonger la vie. Cela dit, l'étude Spiegel comporte certains éléments inexplicables, notamment un taux de décès anormalement prématurés parmi les femmes qui n'ont pas eu de contacts avec le groupe d'appui. Dans le cas des personnes avec un mélanome, on a également cessé d'enregistrer des résultats au bout de dix ans. Notre propre groupe, réunissant des chercheurs de l'Ontario Cancer Institute et du Princess Margaret Hospital, à Toronto, a récemment mené une étude très proche de celle de Spiegel, au cours de laquelle nous n'avons pas relevé d'augmentation significative du taux moyen de longévité parmi les femmes en contact avec le groupe d'appui. Que faut-il en déduire? L'une des conclusions qui s'imposent, c'est qu'il faudra procsdfgéder à beaucoup plus d'expériences du genre, où l'on comparera un groupe recevant un soutien psychologique avec un groupe témoin, avant de pouvoir affirmer que cette méthode prolonge ou non la vie. Néanmoins, on peut envisager le problème d'une autre façon. Au lieu de considérer le taux de survie moyen, on pourrait suivre de près pendant plusieurs années des patients qui luttent contre le cancer et voir s'il existe un lien entre diverses formes d'adaptation psychologique et une longévité moindre ou supérieure. Nous venons de terminer la première étude (cinq ans) de ce type, et les résultats sont clairs : on a observé, dans un échantillon de vingt-deux patients présentant des complications métastatiques et parvenus à un stade incurable, que ceux qui avaient fortement assumé leur autonomie psychologique avaient invariablement vécu deux fois plus longtemps que prévu (par un groupe d'oncologues) et que deux d'entre eux connaissaient une rémission complète et prolongée ! Par contre, ceux qui n'y avaient pas consacré autant d'efforts, même si à l'origine ils n'étaient pas plus malades que les premiers, n'ont pas, en règle générale, dépassé dans les mêmes proportions la durée de vie prévue dans leur cas (mais presque tous les membres de ce groupe ont néanmoins fait mentir les pronostics à des degrés divers).

Quel serait le processus physiologique? Comment quelque chose d'aussi intangible que l'esprit peut-il influer sur quelque chose d'aussi concret qu'une tumeur? Malgré des dizaines d'années de recherche en laboratoire, il est surprenant de constater que nous ignorons pratiquement tout de la manière dont le corps combat les cancers, même si nous connaissons l'existence de mécanismes de régulation, comme le système immunitaire, et que nous savons maintenant que le cancer n'est pas simplement une «invasion» de groupes de cellules tumorales complètement indépendants, mais qu'il représente également l'incapacité de ces mécanismes à endiguer l'apparition constante de cellules potentiellement dangereuses. L'esprit, qu'on peut assimiler à un «logiciel» dont le siège serait le cerveau, régule avec une extrême puissance la plupart des fonctions de l'organisme — il suffit de penser aux divers stades que traverse notre corps quand on subit un choc grave, comparativement à l'excitation ressentie devant un nouveau projet ou en apprenant une bonne nouvelle inattendue. Nous savons maintenant que l'esprit exerce une très forte influence sur le système immunitaire. Ainsi donc, même si l'on ne peut expliquer par le menu comment l'esprit aide le corps à combattre le cancer, il n'en est pas moins évident que c'est par lui que l'on peut tenter de rétablir l'équilibre et l'harmonie dans tous les aspects de notre vie, avec la conviction que cette harmonie se convertira en un équilibre physique maximal, l'état rêvé pour réussir à se rétablir. Ce concept, bien sûr, remonte à la nuit des temps, mais nous avons pourtant tendance à le sous-évaluer en ces temps modernes où l'on préfère se fier aux médicaments pour corriger les effets d'un mode de vie et d'un style de pensée aussi déficients l'un que l'autre.

Pour les chercheurs en médecine, le genre d'expériences que j'ai décrites ici et au cours desquelles nous avons suivi les individus de près apparaît moins convaincant que les «études randomisées» où certaines personnes reçoivent de l'aide et les autres, non. Cette façon de faire est pourtant plus humaine (personne ne se voit refuser de l'aide) et nous en apprend infiniment plus sur les agissements de ceux qui obtiennent de bons résultats, médicalement parlant. C'est pourquoi nous allons continuer nos recherches dans ce sens ; mais nous ne faisons que débuter et l'aide financière est rare. Néanmoins, si vous avez un cancer, qu'il en soit au début ou à un stade métastatique, je vous recommande fortement d'entreprendre votre propre voyage vers le rétablissement. Même si vous pensez que « le médecin s'y connaît », vos propres efforts pour instaurer un équilibre et une harmonie sans faille pourraient fort bien réduire le risque de rechute. Mon enthousiasme pour cette façon d'agir se fonde non seulement sur les résultats de ces expériences en bonne et due forme, mais aussi sur l'observation attentive de centaines de patients rencontrés au fil des ans et sur ma propre expérience quand je me suis pris en main pour combattre le cancer. À tout le moins, votre expérience s'en trouvera facilitée. Au mieux, cela pourra prolonger ou même sauver votre vie.

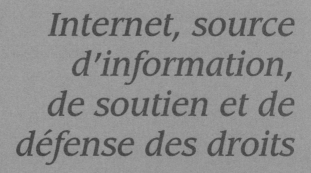

Internet, source d'information, de soutien et de défense des droits

DR JUANNE NANCARROW CLARKE

11

Il y a dans Internet des milliers de sites où il est fait mention du cancer. Un jour que nous nous étions demandé combien d'entre eux traitaient uniquement du cancer du sein, nous en avons trouvé plus de 30 000. Le nombre d'occurrences est tel que la perspective de consulter Internet pour vous-même ou pour votre groupe est proprement décourageante. Mais il suffit d'un peu d'aide pour qu'Internet devienne une ressource d'une incroyable richesse. Ainsi, certains sites fournissent de l'information sur les résultats des recherches les plus récentes, d'autres lancent des appels aux patients qui voudraient participer à des traitements expérimentaux, les sites commerciaux proposent leurs services et d'autres encore nous renseignent sur les médecines et les soins de santé parallèles. Il y a aussi les sites qui permettent de donner et de recevoir de l'aide grâce à une interaction immédiate. Et il y a les forums de bavardage en temps réel, les serveurs de listes et les groupes de discussion.

Des études portant sur le soutien social et affectif en ligne ont révélé que les gens y discutent des mêmes choses que dans les groupes de soutien «réels» et que bon nombre d'entre eux disent y acquérir un sens de la «communauté» qui est aussi fort que dans la vraie vie. L'exemple qui nous vient à l'esprit est celui d'un homme qui, quelques heures après le décès de sa femme âgée de 33 ans, a ouvert une session avec le groupe de soutien dont elle faisait partie afin d'informer les membres de sa mort et de les remercier de l'appui qu'ils lui avaient apporté pendant sa maladie et ses derniers jours. Cette anecdote fait ressortir l'un des avantages potentiels du soutien en ligne. Une personne qui est incapable de se déplacer ou qui, pour une raison ou une autre, ne peut pas ou ne veut pas se mêler à son entourage pourra maintenir une interaction quotidienne (ou davantage) avec des gens qui vivent une situation semblable à la sienne.

Ainsi, une femme dont le mari avait un cancer du côlon s'est sentie rassurée en apprenant que plusieurs patients souffrant d'insomnie trouvaient un certain réconfort à bavarder pendant la nuit dans Internet avec des personnes en rémission prolongée. Le fait de savoir que son mari n'était pas seul et qu'il ne passerait plus ses nuits à se faire du mauvais sang à cause de sa maladie l'a grandement soulagée.

Par ailleurs, on a constaté que les groupes de soutien en ligne l'emportent à certains égards sur ceux de la « vraie vie ». Les gens qui veulent conserver leur anonymat peuvent le faire et profiter quand même des avantages offerts par les groupes en ligne. Internet permet aux personnes qui habitent trop loin pour adhérer à un groupe de soutien, mais qui ont un ordinateur, de participer malgré tout. Et comme le soutien en ligne est en principe accessible vingt-quatre heures par jour, les patients ne sont plus isolés quand ils sont en état de crise et qu'ils auraient dû normalement attendre la prochaine réunion. Enfin, on peut être, à son gré, actif ou inactif, puisqu'il n'y a pas d'animateur pour nous demander d'intervenir et qu'on échappe aux pressions des autres membres qui comptent sur notre participation. dj

Les recherches se multiplient sur les bienfaits particuliers du soutien en ligne destiné aux personnes ayant le sida ou un cancer, aux jeunes mères alcooliques ou toxicomanes ou aux intervenants qui s'occupent d'autres malades (comme ceux qui souffrent d'alzheimer).

On n'a pas encore évalué l'efficacité d'Internet en matière de défense des droits ou de maillage pour les personnes atteintes de cancer ; toutefois, les études portant sur d'autres aspects ont démontré les avantages spécifiques et prononcés du regroupement en ligne de personnes géographiquement isolées, mais qui partagent un intérêt commun. On a relevé dans Internet plusieurs activités d'organisation réussies, dans les communautés autochtones par exemple.

Malgré son importance phénoménale, Internet comporte des difficultés considérables, et ce, pour deux raisons : son gigantisme et l'absence de normes ou de règles. À cause de son gigantisme, il ressemble à ce que seraient les archives du *New York Times* si l'on empilait toutes les pages de tous les numéros depuis la première parution, ce qui donnerait approximativement la hauteur de la tour du CN ou de l'Empire State Building. Partout dans le monde, des personnes s'efforcent d'établir des tables des matières ou des index, d'évaluer des sites ou de mettre au point des logiciels pour ceux qui cherchent de l'information très pointue. En attendant, une recherche dans Internet pourra vous prendre passablement de temps !

Au lieu d'un système de catalogage général, le Web nous donne le choix entre des douzaines de moteurs ou de métamoteurs de recherche, de guides thématiques, etc. L'une des solutions consiste à ouvrir une session avec le moteur de recherche Yahoo ! Cliquez sur *Maladies* dans la catégorie *Santé*, puis tapez *cancer* dans la fenêtre et procédez à votre recherche. Vous trouverez environ 2000 sites divisés en catégories, comme *Santé>Maladies et conditions>Cancer du sein* et *Couverture complète>Santé> Recherche sur le cancer*. Choisissez les sites qui vous conviennent et notez tout ce qui vous intéresse.

Voici les adresses électroniques de plusieurs sites :
- Société canadienne du cancer (SCC) et Institut national du cancer du Canada : www.cancer.ca
- Fondation québécoise du cancer : http://www.fqc.qc.ca
- Initiative canadienne pour la recherche sur le cancer du sein : www.breast.cancer.ca
- Santé Canada (bilingue) : www.hc.-sc.gc.ca
- Association médicale canadienne (bilingue) : www.cma.ca
- Direction de la protection de la santé (bilingue) : www.hc-sc.gc.ca/hpb
- Réseau canadien de la santé (bilingue) : www.canadian-health-network.ca
- Guides de pratique clinique pour la prise en charge et le

traitement du cancer du sein (supplément spécial du *Journal de l'Association médicale canadienne*) :
http://www.cma.ca/cmaj/vol-158/issue-3/breastcpg-f/index.htm

- Fédération nationale des centres de lutte contre le cancer (FNCLCC, site français) : http://www.fnclcc.fr/
- Centre international de recherche sur le cancer : http://www.cchst.ca/

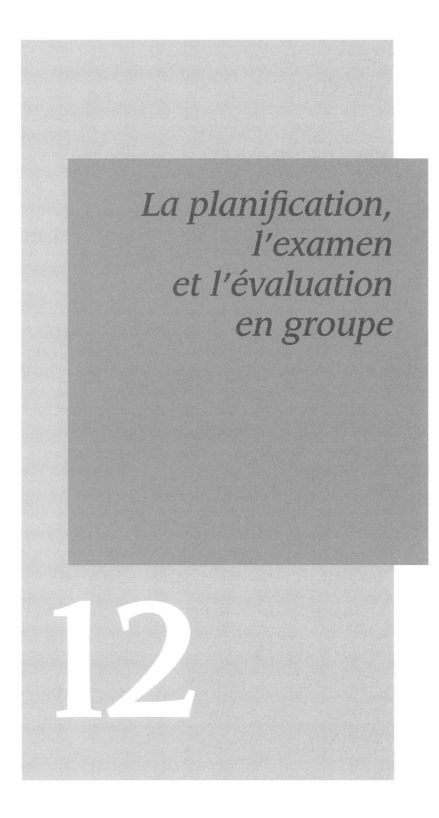

La planification, l'examen et l'évaluation en groupe

12

LES SAISONS ET LES CYCLES DU GROUPE D'ENTRAIDE

La vie d'un groupe d'entraide obéit à des facteurs cycliques, saisonniers et prévisibles. Le cycle est souvent en parallèle avec l'année scolaire. Dès l'arrivée de l'automne, les membres ressentent un sursaut d'énergie et leur assiduité s'améliore. Le moment est donc bien choisi pour procéder à une certaine planification. Quand on s'y prend à l'avance, le groupe sait mieux à quoi s'attendre et ne risquera pas de se sentir débordé lorsque les tâches commenceront à s'accumuler !

L'automne est généralement tout indiqué pour envisager des événements particuliers ou penser à d'éventuels conférenciers. Ainsi, vous voudrez peut-être prévoir des activités spéciales pour le Mois de la sensibilisation au cancer du sein (octobre), le Mois de la sensibilisation au cancer (avril) et la Fête de l'espoir (en juin). C'est également l'époque où les membres peuvent s'échanger leurs fonctions, accepter de nouvelles tâches ou se libérer de leurs responsabilités pour prendre un peu de répit.

Si votre groupe dispose d'un budget, voyez s'il n'y a pas des conférences ou d'autres événements auxquels vos membres voudront assister en cours d'année et mettez des fonds de côté à cette fin. Si vous décidez de vous lancer dans des projets, comme un bulletin ou une campagne de souscription, il vous faudra trouver des bénévoles et commencer à planifier tôt. Certains groupes fixent une date pour un rituel particulier ou une cérémonie commémorative et pour célébrer le fait d'être en vie.

Septembre, janvier et juin sont des mois que de nombreux groupes choisissent pour évaluer leurs réunions. Réfléchissez à tout ce qui fonctionne bien et demandez aux membres si le groupe a su répondre à leurs besoins et à leurs attentes. Décidez d'un moment pour repenser le rôle des animateurs et invitez d'autres membres à considérer la possibilité d'acquérir les compétences nécessaires pour assurer la relève. Prévoyez leur participation à un atelier sur l'animation. Les animateurs chevronnés peuvent prendre les nouveaux en charge et les guider jusqu'à ce que ces derniers maîtrisent les compétences voulues et soient suffisamment sûrs d'eux-mêmes.

L'ÉVALUATION

Il vaut la peine de faire le point plusieurs fois par année afin de voir ce qui réussit ou non auprès des membres. Quel que soit le groupe, il arrive parfois que les choses en soient au point mort. Les membres s'ennuient, manquent d'énergie, se sentent insatisfaits ou moins concernés par certains sujets. S'ils espèrent quelque chose du groupe et obtiennent autre chose, ils peuvent céder à la frustration et décider de s'en aller. Quand cela se produit et que vous en ignorez la cause, une évaluation pourra aider tout le monde à comprendre ce qui se passe ; après quoi, vous pourrez discuter ensemble des changements à apporter. L'évaluation est un processus qui permet d'analyser ce qui va bien dans les groupes et ce qui a besoin d'être corrigé. Elle ne consiste pas à porter un jugement sur la réussite ou l'échec.

Il ressort d'une étude[51] que les groupes d'entraide qui font preuve d'efficacité sont ceux où les membres se sentent acceptés, où ils trouvent une ambiance accueillante et amicale, empreinte de chaleur et d'humour, et une source d'énergie. Les règles sont peu nombreuses, mais tout le monde connaît les objectifs du groupe et est lié par un code de comportement qui a fait l'objet d'un consensus. Ils collaborent, prennent les décisions ensemble, favorisent la libre consultation et respectent la confidentialité.

Vous pourriez demander à vos membres de discuter de ces caractéristiques et d'évaluer les aptitudes du groupe à cet égard. Cela permettra de déterminer les points faibles ou encore de repérer les membres dont les capacités pourraient être mises à contribution pour améliorer la qualité des réunions.

Certains groupes attendent d'être au creux de la vague avant de s'asseoir ensemble et d'essayer de comprendre ce qui ne va pas. Toutefois, la planification d'une évaluation continue et intégrée aux activités normales de votre groupe est un bon moyen de s'assurer que celui-ci poursuit des objectifs précis et qu'il les atteint. L'évaluation ne devrait ni entraver son fonctionnement ni représenter une menace de quelque façon que ce soit.

L'évaluation peut revêtir plusieurs formes. Le groupe peut opter pour une discussion franche ou préférer remplir un questionnaire, s'inspirer du journal de l'animateur comme point de départ ou inviter un observateur expérimenté à assister à une réunion et à la commenter. Votre groupe devrait planifier une évaluation une ou deux fois par année. Le but visé est de vérifier si les membres reçoivent bien le soutien, les informations et l'encadrement auxquels ils s'attendent. Vous pouvez également leur demander si leur adhésion au groupe a eu une influence sur leurs rapports avec leur famille, leurs amis et leurs médecins.

LA DISCUSSION EN GROUPE

La meilleure façon de s'évaluer, c'est dans le cadre d'une discussion commune. Pour ce faire, l'un des membres fait office de meneur ou d'animateur pendant la réunion. Il faut éviter de confier ce rôle aux animateurs si le groupe a l'intention de se prononcer également sur le processus d'animation. Vous devrez noter les conclusions et les recommandations — peut-être sur un tableau. Cela facilitera la planification des changements et servira de document écrit sur le processus décisionnel du groupe.

Les questions pertinentes sont, entre autres :

1. À quoi vous attendiez-vous quand vous vous êtes joint au groupe ?

2. Y a-t-il une chose qui vous plaît particulièrement dans le groupe?
3. Comment voyez-vous votre propre participation?
4. Que ressentez-vous à propos du rôle que vous avez assumé?
5. Décrivez une expérience positive que vous avez vécue avec le groupe.
6. Décrivez quelque chose que vous aimeriez voir se produire au sein du groupe.
7. Décrivez un talent ou une compétence dont vous avez fait profiter le groupe.
8. Expliquez comment vous percevez la raison d'être du groupe.

Votre groupe pourra s'inspirer utilement du modèle d'un formulaire d'évaluation confidentielle présenté en page 61. Une fois l'évaluation terminée, revenez sur les conclusions relatives à ce qui est adéquat et à ce qui doit être changé, et procédez à une séance de remue-méninges sur la manière d'instaurer ces changements. Préparez un plan et un échéancier, et désignez les responsables des activités ou des actions à entreprendre. Faites un rapport à votre groupe sur l'évaluation ainsi que sur la planification et notez le tout dans le journal de bord. Le fait de savoir que des changements sont imminents aidera les membres à se sentir impliqués et renforcera leur sentiment d'appartenance au groupe. Et s'ils sont tenus au courant des progrès en cours, ils seront moins portés à s'inquiéter à propos d'éventuels changements sur le lieu ou les horaires des réunions ou encore de l'arrivée de nouveaux animateurs.

Ne vous en faites pas trop si, en dépit de tous vos efforts, des membres se montrent surpris ou perturbés face à quelque chose de nouveau ou de différent. C'est le propre de l'homme d'être imparfait et d'oublier facilement — même ces personnes si particulières qui composent votre groupe d'entraide pour les personnes atteintes de cancer.

RÉSUMÉ

1. L'automne venu, pensez à planifier les événements particuliers, les conférenciers à inviter et les nouveaux projets.

2. Tâcher de revoir le rôle de l'animateur environ trois fois par année.

3. Plusieurs fois par année, organisez une discussion en groupe pour évaluer ce qui convient à vos membres et ce qui ne va pas.

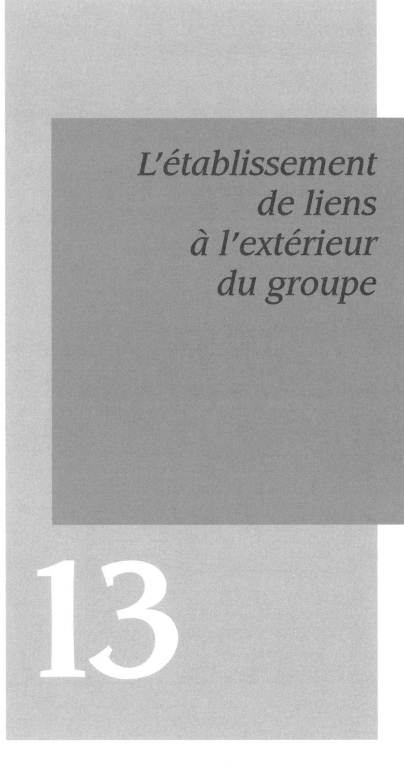

*L'établissement
de liens
à l'extérieur
du groupe*

13

LE MAILLAGE AVEC D'AUTRES GROUPES D'ENTRAIDE POUR LES PERSONNES ATTEINTES DE CANCER

Il est possible que votre groupe souhaite s'allier à d'autres pour plusieurs raisons :

- partager des ressources ;
- bénéficier de conseils ou d'un encadrement au moment de la constitution du groupe ;
- former des alliances pour des collectes de fonds ou pour la promotion de vos intérêts ;
- participer à des séminaires ensemble ;
- envisager des perspectives différentes ;
- se soutenir mutuellement en cas de difficultés ;
- accroître sa confiance ;
- sensibiliser le grand public ;
- participer à des projets communs.

Même si votre groupe n'a nullement l'intention de former des partenariats avec d'autres groupes d'entraide ou des organismes, vous voudrez probablement rencontrer certains de leurs membres, surtout si vous faites du travail communautaire ou siégez à des comités ou des commissions qui assurent des services aux personnes éprouvées par le cancer.

QUELQUES CONSEILS POUR LE MAILLAGE AVEC D'AUTRES GROUPES D'ENTRAIDE

- Prenez contact avec les animateurs d'autres groupes et voyez ensemble comment vous pourriez échanger des idées, vous soutenir ou vous encourager mutuellement, ou collaborer à des projets.
- Assistez à vos réunions respectives à titre d'invités.
- Recherchez des occasions de participer à des

réunions, des journées de réflexion et des ateliers de formation.

- Maintenez le contact par téléphone ou par écrit afin de vous soutenir moralement et de partager vos compétences.
- Réunissez vos groupes pour débattre d'un dossier commun et invitez un conférencier.
- Créez un bulletin conjoint.

LE MAILLAGE AVEC DES ORGANISMES OU DES ÉTABLISSEMENTS DE SOINS POUR LES PERSONNES ATTEINTES DE CANCER

- Invitez comme conférenciers des infirmières, des oncologues ou d'autres spécialistes du cancer.
- Proposez à un établissement spécialisé d'y faire un exposé sur votre groupe.
- Recherchez des occasions de participer à des ateliers communs ou à des activités de promotion de vos intérêts.
- Planifiez des activités communes ou demandez à ces organismes ou établissements de parrainer des conférenciers susceptibles d'intéresser les deux groupes.
- Proposez d'écrire un article sur votre groupe dans leur bulletin.

COMMENT ENTRETENIR DES RELATIONS FRUCTUEUSES AVEC LES PROFESSIONNELS DE LA SANTÉ

Quelle que soit la nature du partenariat formé entre des groupes d'entraide et des spécialistes du cancer, celui-ci ne sera fécond que s'il est fondé sur le respect mutuel, la tolérance, une bonne compréhension du rôle de chacun et un engagement sérieux. Les membres des groupes d'entraide doivent savoir clairement ce qu'ils attendent des professionnels de la santé avec lesquels ils ont décidé de travailler. Ils peuvent priser la participation de ces derniers, parce qu'elle leur permet d'avoir accès à des ressources et à des expertises. Les professionnels peuvent recommander des patients au groupe et, par leur appui, accroître sa crédibilité, surtout auprès des décideurs et d'autres spécialistes. Ils peuvent également valoriser les groupes d'entraide, parce que ceux-ci offrent à leurs patients un soutien émotif et pratique qui les aide à affronter leurs problèmes.

CONSEILS

- Choisissez des professionnels de la santé qui partagent les valeurs de votre groupe.
- Renseignez-vous sur vos partenaires éventuels.
- Déterminez les buts et objectifs du partenariat.
- Relancez vos contacts par lettre ou par téléphone.
- Tenez un dossier sur vos contacts et sur les informations échangées.
- Éduquez des professionnels sur les bienfaits des groupes d'entraide.
- Déterminez le rôle que vous assignerez au professionnel de la santé : conseiller, mentor, source d'informations, recommandation de patients.
- Rappelez-vous que les professionnels de la santé peuvent intervenir sur les plans public et privé.
- Évaluez de temps en temps vos rapports mutuels et les résultats obtenus.

LA PROMOTION DE VOTRE GROUPE

- Soyez capable de vous décrire adéquatement.
- Rédigez une brochure décrivant vos antécédents, vos objectifs et la nature de vos réunions, et indiquant la personne-ressource.
- Faites de la publicité pour votre groupe dans les hôpitaux, les cabinets médicaux, les bureaux des travailleurs sociaux et des conseillers.

COMMENT ENTRETENIR DES RELATIONS EFFICACES AVEC LES MÉDIAS

Votre groupe n'aura pas forcément envie d'établir des contacts avec les médias. Néanmoins, le cancer est un sujet qui intéresse fortement ces derniers et ils s'appuient souvent sur des cas vécus pour expliquer l'importance de percées scientifiques et de nouveaux traitements. Vous devriez savoir comment votre groupe entend être représenté afin de pouvoir répondre aux questions à son sujet.

CONSEILS
- Sachez quel message vous voulez transmettre. Amenez votre groupe à un consensus sur la façon dont vous le décrirez et soyez cohérent avec la teneur de vos messages.
- Apprenez à connaître les médias. Efforcez-vous de connaître la rédaction des stations de radio et de télévision, des journaux et des magazines. Organisez une rencontre et présentez votre groupe.
- Faites en sorte d'avoir un porte-parole officiel, dûment formé.

- Ciblez votre public. Les médias ne sont pas le public que vous visez, mais vous en avez besoin pour rejoindre les gens que vous souhaitez atteindre.
- Soyez bien préparé. Ne citez que les faits que vous *savez* être fondés et fiables. Quand un journaliste vous interviewe à propos de votre groupe ou d'un sujet donné, il tient pour acquis que vous savez de quoi vous parlez. Faites des recherches. Ne faites pas semblant d'être au courant de quelque chose quand vous en ignorez tout. Demandez si vous pouvez répondre plus tard. Et faites-le.
- Fixez des consignes précises en matière de confidentialité pour votre groupe.
- Évitez les digressions et *transmettez votre message clairement.*

RÉSUMÉ

1. Faites des expériences de maillage avec les autres groupes d'entraide pour les personnes atteintes de cancer.
2. Faites des expériences de maillage avec les professionnels de la santé.
3. Apprenez à travailler avec les médias pour promouvoir votre groupe.

Conclusion

14

Ce guide dresse un aperçu des possibilités des groupes d'entraide pour les personnes atteintes de cancer et suggère quelques idées sur la façon de fonder et de maintenir un groupe efficace. Notre intention était de vous indiquer diverses orientations et de vous encourager dans vos activités. Nous espérons que cela vous a permis de mieux comprendre les effets du cancer et d'élaborer les moyens qui aideront les membres de votre groupe à travailler de concert pour répondre à leurs besoins respectifs. Nous souhaitons également vous faire part de quelques-unes des raisons qui nous ont incités — l'auteure et d'autres membres de groupes de lutte contre le cancer — à rédiger ce guide.

Il y a une douzaine d'années, quand les premiers de ces groupes sont apparus au Canada, on nous tenait pour une petite bande de révoltés — radicalisés par le cancer. Nous étions en quête de nouvelles façons de nous rétablir et d'apprendre à vivre avec la maladie. Notre objectif était donc de chercher partout où nous le pouvions des moyens susceptibles de nous aider à redonner un sens à nos vies et à retrouver notre vitalité.

Aujourd'hui, on ne compte plus les « révoltés » et les « radicaux » qui fondent et animent des groupes d'entraide pour les personnes atteintes de cancer.

Aujourd'hui, même si nous sommes plus expérimentés et mieux entraînés qu'à nos débuts, nous continuons de chercher de nouvelles façons de nous en sortir. Nous aimons toujours ce que nous faisons et nous éprouvons toujours une immense satisfaction à l'idée d'avoir pu enrichir la vie d'autres personnes atteintes de cancer.

La participation à un groupe d'entraide peut s'avérer une tâche gratifiante, intense et enthousiasmante. Les groupes peuvent également représenter une source de réconfort, de connaissances, de courage et d'humour, sans parler du fait que nos vies sont incroyablement enrichies par les amitiés qui s'y nouent.

Célébrez tous ensemble — votre vie et votre travail !

Ce qui compte, c'est qu'une fois par mois je me retrouve dans une salle remplie de femmes qui ont toutes un cancer du sein. Et l'air que nous y respirons est déjà un soulagement.

NOTES

INTRODUCTION
1. Statistiques canadiennes sur le cancer, 1999.

CHAPITRE 1
2. Adapté de « Cancer Support Groups : The State of the Art »,
   Cancer Practice, vol. 1, n° 1, mai-juin 1993, avec l'autorisation
   de David Cella et Suzanne Yellen.
3. L'auteure reprend la définition de « cancer survivor » adoptée
   par la National Coalition for Cancer Survivorship : toute personne ayant un historique de cancer, à partir du diagnostic et
   pour le reste de sa vie.
   *N.d.T. : La division du Québec de la Société canadienne du cancer
   emploie des expressions comme «personne rétablie», le terme
   «survivant» impliquant en français une situation exceptionnelle,
   ce qui ne correspond absolument pas à la réalité.*
4. R. Gray et al., « A Qualitative Study of Brest Cancer Self-help
   Groups », *Journal of Psycho-oncology*, n° 6, 1977, p. 279-289.
5. Adapté de Cella et Yellen, *op. cit.*
6. Santé Canada, Forum national sur le cancer du sein, 1993 ; en-
   quête effectuée auprès de personnes remises d'un cancer du
   sein.
7. Gray et al., *op. cit.*
8. Adapté de Cella et Yellen, *op. cit.*
9. *Ibid.*
10. Gray et al., *op. cit.*
11. Adapté de Cella et Yellen, *op. cit.*
12. *Ibid.*
13. Gray et al., *op. cit.*
14. Adapté de Cella et Yellen, *op. cit.*
15. L.F. Kurtz, « The Self-help Movement : Review of the Past
    Decade of Research », *Social Work with Groups*, vol. 13, n° 3,
    1999, p. 101-115.

16. Voir Gray et al., *op. cit.*, et Cella et Yellen, *op. cit.*

17. Adapté de Cella et Yellen, *op. cit.*, et de Bonnie Pope, *Self-Help/Mutual Aid*, Canadian Mental Health Association, Social Action Series, (Association canadienne pour la santé mentale, série «Action sociale»), Ottawa, 1991.

18. F. Lavoie, T. Borkman et B. Gidron, *Self-help and Mutual Aid Groups: International and Multicultural Perspective*, New York, Haworth Press, 1994.

19. Kurtz, *op. cit.*

CHAPITRE 2

20. Adapté de Ram Dass et Mirabi Bush, *Compassion in Action: Setting Out on the Path of Service*, New York, Bell Tower Press, 1992.

21. Adapté de *The Self-Help Sourcebook*, 6ᵉ édition, Danville, N.J., American Self-Help Clearinghouse, 1998.

22. Adapté de Carol Town, *Towards Effective Self-help — A Group Facilitation Training Manual*, The Prevention Network of Hamilton-Wentworth, janvier 1993.

23. Treya William Wilber, «What Kind of Help Really Helps?», reproduit avec l'autorisation de la Cancer Support Community, San Francisco.

CHAPITRE 3

24. Bruce Tuckman, *The Stages of Group Development.*

25. Cella et Yellen, *op. cit.*

26. S.E. Taylor, R.L. Falke, S.J. Shoptaw et R.R. Lichtman, «Social Support, Support Groups and the Cancer Patient», *Journal Consulting Clinical Psychology*, 1986.

CHAPITRE 4

27. Adapté de Cella et Yellen, *op. cit.*

28. *Ibid.*

29. Adapté de F. Rees, *How to Lead Work Teams : Facilitating Skills*, San Diego, CA, Pfeiffer and Company, 1991.
30. Gray et al., *op. cit.*
31. Wilber, *op. cit.*
32. Cella et Yellen, *op. cit.*

CHAPITRE 6
33. Cella et Yellen, *op. cit.*
34. Wilber, *op. cit.*
35. Adapté de « Section 2 : Listening Skills », ME Hotline Training Program, Chicago, Y-ME National Breast Cancer Organization, 1992.
36. Wilber, *op. cit.*
37. *Ibid.*
38. AIDS Committee of Toronto, *Support Group Facilitation Manual*, 1996.

CHAPITRE 7
39. Adapté de « Identifying and Handling Problem Behaviors », *Guidelines on Support and Self-Help Groups*, American Cancer Society Inc., Atlanta, GA, 1994, p. 63.
40. *Self-Help Leader's Handbook : Leading Effective Meetings*, Publication du Research and Training Center On Independent Living, Université du Kansas, Lawrence, Kansas, 1991.
41. D. Murray-Ross et C. Mederios, *Facilitation Skills Workshop*, The American Cancer Society, Conférence nationale sur les groupes de soutien et d'entraide, Bellevue, WA, août 1992.

CHAPITRE 8
42. Gray et al., *op. cit.*
43. *Ibid.*
44. Wilber, *op. cit.*
45. Adapté de Saadi Capelan et Gordon Lang, *Grief's Courageous*

Journey, A Workbook, New Harbinger Publications, Oakland, California, 1995.

CHAPITRE 9

46. Wilber, *op. cit.*
47. K. Herth, « Contributions of Humor as Perceived by the Terminally Ill », *American Journal of Hospital Care*, vol. 7, n° 1, 1990, p. 36-40.
48. Loretta LaRoche, *RELAX — You May Only Have a Few Minutes Left*, Random House, New York, NY, Villard, 1998.
49. Patty Wooden, *Compassionate Laughter, Jest for Your Health*, Salt Lake City, Utah, Commune-A-Key Publishing, 1996.
50. *Ibid.*

CHAPITRE 12

51. Cella et Yellen, *op. cit.*

Ressources

RESSOURCES POUR LES GROUPES D'ENTRAIDE

Il existe des ressources à travers le Québec et le Canada pouvant aider à la création de groupes d'entraide et fournir aide et support à ceux qui sont déjà établis. Certaines ne sont malheureusement disponibles qu'en anglais, mais ont été indiquées ci-dessous à titre indicatif.

FORMATION

PISCES (Partnering in Self-Help Community Education and Support) – (En anglais seulement)
Offre un séminaire de deux jours permettant d'acquérir les connaissances et l'expertise nécessaires pour créer un groupe d'entraide. Ce séminaire est basé sur le contenu de ce livre.
2021 Lakeshore Road, Suite 108
Burlington, Ontario
Canada L7R 1A2
Tél.: (905) 637-2840
Courriel: pisces@netinc.ca
Internet: www.pisces.on.ca

Hollyhock / Workshops, retreats, vacations – (En anglais seulement)
Offre des ateliers, des retraites et des vacances sur la Côte Ouest.
Boîte 127, Manson's Landing
Île Cortez (C.-B.)
Canada V0P 1K0
Tél.: 1-800-933-6339
Courriel: hollyhock@oberon.ark.com
Internet: www.hollyhock.bc.ca

RÉSEAU DES CENTRES D'ENTRAIDE/INFORMATION

Il existe un réseau de centres d'entraide à travers le Canada qui ont pour mandat d'apporter aide et support aux nouveaux groupes autant qu'à ceux qui sont déjà établis. Ils ont pour objectif de faire la promotion de l'entraide, sensibiliser la communauté, favoriser l'épanouissement et le développement des groupes, des réseaux et des ressources. Ils offrent, entre autres services:
- Des listes de groupes d'entraide
- Un service téléphonique de renseignements et de références
- Des ateliers spécialisés et de la formation pour le grand public
- De l'information à jour sur la recherche et les ressources
- Une bibliothèque
- Des activités d'éducation publique
- Des liens avec les autres centres d'entraide à travers le Canada et le monde
- De l'aide pour trouver des locaux, le recrutement de membres, la fixation d'objectifs et la levée de fonds.

Les principaux centres d'entraide au Canada :

Alberta
The Support Network
Edmonton's Distress and Information Center
11456 Jasper Avenue
Edmonton (Alberta)
T2K 0M1
Tél. : (403) 482-0198, ext. 231
Téléc. : (403) 496-1495
Courriel : supnet@compasmart.ab.ca

Colombie-Britannique
The Self-Help Resource Association of B.C.
1212 West Broadway, Suite 303
Vancouver (C.-B.)
V6H 3V1
Tél. : (604) 733-6186
Téléc. : (604) 730-1015
Courriel : shra@vcn.bc.ca

Île du Prince Édouard
Family Support and Self-Help Program Canadian Mental Health Association
Case postale 785
Charlottetown (Î.P.É.)
C1A 7L9
Tél. : (902) 566-3034
Téléc. : (902) 566-4643
Courriel : faulk@syncor.ca

Manitoba
Manitoba Self-Help Clearinghouse, Inc.
825 Sherbrooke Street
Winnipeg (Manitoba)
R3A 1M5
Tél. : (204) 772-6969
Téléc. : (204) 786-0860

Nouveau-Brunswick
Self-Help Community Service
Case postale 6125, Station « A »
Saint-Jean (N.-B.)
E2L 4R6

Ligne Info : (506) 633-4636
Tél. : (506) 634-1673
Téléc. : (506) 636-8543
Courriel : hdc@nbnet.nb.ca

Nouvelle-Écosse
Self-Help Connection
63 King Street
Dartmouth (N.É.)
B2Y 2R7
Tél. : (902) 466-2011
Téléc. : (902) 466-3300
Courriel : self-help@chebucto.ns.ca

Ontario
Self-Help Resource Centre of Greater Toronto
40 Orchard View Blvd., Suite 219
Toronto (Ontario)
M4S 2W4
Tél. : (416) 487-4355
Téléc. : (416) 487-0344
Courriel : shrc@sympatico.ca
Internet : www.selfhelp.on.ca

The Olde Forge Community Resource Centre
2730 Carling Avenue
Ottawa (Ontario)
K2B 7J1
Tél. : (613) 829-9777
Téléc. : (613) 829-9318
Courriel : michael@freenet.carleton.ca
Internet : www.ncf.carleton.ca/olde-forge

Self-Help Network of Sudbury-Manitoulin
199 Travers Street
Sudbury (Ontario)
P3C 3K2
Tél. : (705) 677-0308
Téléc. : (705) 673-3354
Courriel : selfhelp@isys.ca

Québec
Centre de référence du grand Montréal
801, rue Sherbrooke Est, Bureau 401
Montréal (Qc)
H2L 1K7
Tél. : (514) 527-1375
Téléc. : (514) 527-9712

Centre d'action bénévole du Québec
615, boul. Pierre-Bertrand, Bureau 250
Vanier (Québec)
G1M 3J3
Tél. : (418) 681-3501
Téléc. : (418) 681-6481

West Island Volunteer Bureau
750 Dawson Avenue
Dorval (Québec)
H0S 1X1
Tél. : (514) 631-3720
Téléc. : (514) 631-3024

CONSEIL CANADIEN DE DÉVELOPPEMENT SOCIAL

Le Conseil canadien de développement social (CCSD) est un organisme sans but lucratif dont la mission est de développer et de promouvoir des politiques sociales progressistes inspirées par la justice sociale, l'égalité et l'autonomie des personnes et des communautés, au moyen de la recherche, la consultation, la sensibilisation publique et la défense des droits. Le CCSD est un éditeur de premier plan dans le domaine du développement social, et publie notamment des livres, des rapports de recherche et un périodique trimestriel *Perception*. Pour une liste complète, on peut s'adresser au CCSD pour demander le catalogue complet. Leurs publications peuvent être commandées par internet.
441 MacLaren, 4e étage
Ottawa (Ontario)
K2P 2H3
Tél. : (613) 236-8977
Téléc. : (613) 236-2750
Courriel : publications@ccsd.ca
Internet : www.ccsd.ca

Certaines des publications les plus pertinentes sur les groupes d'entraide ne sont disponibles qu'en anglais. Elles sont énumérées ci-dessous, à titre indicatif :
Judith Burns, Svetlana Lenko, Hector Balthazar, *Resources for Self-Help*, 1989.
Karen Hill, révisé et édité par Hector Balthazar, *Helping You Helps Me*, 1987.
Jean-Marie Romeder, *The Self-Help Way : Mutual Aid and Health*, 1990.

RESSOURCES POUR LES PERSONNES ATTEINTES D'UN CANCER

Les personnes atteintes d'un cancer peuvent compter sur de nombreuses ressources qui relèvent de la Société canadienne du cancer, de la Fondation québécoise du cancer ou d'autres organismes.

LES PROGRAMMES ET SERVICES À LA COMMUNAUTÉ DE LA SOCIÉTÉ CANADIENNE DU CANCER

La Société canadienne du cancer est un organisme bénévole national, à caractère communautaire, dont la mission est l'éradication du cancer et l'amélioration de la qualité de vie des personnes atteintes de cancer. Aux quatre coins du Canada, les 220 000 bénévoles de la Société canadienne du cancer, appuyés par ses quelque 450 employés, mettent en œuvre des programmes d'éducation populaire, fournissent des services aux personnes touchées par le cancer ainsi qu'à leur famille, encouragent l'application de politiques efficaces en matière de santé publique et organisent des activités de souscription.

Rappelons ici les numéros du Service d'information sur le cancer de Montréal ainsi que le site Internet de la Société qui renferme une multitude de renseignements fiables et à jour, destinés aussi bien aux personnes touchées par le cancer qu'à leur famille et à l'ensemble de la population.

Numéro sans frais : 1 888 939-3333 (du lundi au vendredi, de 7 h 30 à 21 h)
Tél. : (514) 255-5151
Téléc. : (514) 255-8074
Site Internet : www.cancer.ca

Les programmes

Le programme *Surmonter le cancer* a été conçu pour soutenir et réconforter les personnes qui vivent avec le cancer et leurs proches. Les personnes atteintes peuvent être « jumelées » à un bénévole spécialement formé et qui a déjà lui-même vécu l'expérience du cancer. Les bénévoles de *Surmonter le cancer* sont là pour partager les pensées, la colère, parfois la détresse, mais aussi l'espoir que seule une personne ayant une connaissance vécue de la maladie peut comprendre. Les visites à domicile et l'écoute téléphonique font partie des services offerts.

Le programme *Toujours femme* s'adresse aux femmes atteintes de cancer du sein et qui peuvent être « jumelées » à une bénévole ayant elle-même fait l'expérience de cette maladie et formée pour offrir une aide efficace aux personnes qui en font la demande.

Il existe dans plusieurs régions des *groupes d'entraide* qui offrent un soutien affectif, un lieu d'échange et de partage ainsi que des informations sur l'éventail des traitements et autres domaines, des *groupes de soutien pour les hommes qui ont un cancer de la prostate* et des *associations pour les personnes ayant certains types de cancer.*

La *spiritualité* revêt une grande importance quand le cancer fait son apparition, parce qu'il suscite souvent une remise en question des valeurs spirituelles. La Société met à la disposition du clergé, des ministres des diverses confessions et des agents et agentes de pastorale des outils d'information et de réflexion qui les soutiendront dans leur rôle de guide auprès des personnes en quête d'un sens à la vie.

Afin d'aider les femmes en traitement de chimiothérapie ou de radiothérapie à garder le moral, le programme *Belle... et bien dans sa peau* leur offre des séances de maquillage conçues pour répondre à leurs besoins. Des conseils sur les soins de la peau et les coiffures adaptées à la perte temporaire des cheveux sont donnés par des cosmétologues professionnels, en petits ateliers. Ce programme est une initiative de la Fondation de l'Association des cosmétiques, produits de toilettes et parfums. Il n'est cependant disponible que dans certaines régions.

Les services

LA MAISON DE LA SOCIÉTÉ

La Société canadienne du cancer offre un havre de paix aux personnes atteintes qui doivent se rendre à Montréal pour y suivre des traitements de radiothérapie. Outre l'ensemble des services reliés à l'hébergement, le transport vers les centres de traitement et l'assurance de pouvoir compter sur un soutien affectif, la Maison présente les avantages d'une résidence en milieu urbain, dans un environnement encore favorisé par la verdure, à proximité de l'hôpital Maisonneuve-Rosemont.

PANSEMENTS

Tout patient à domicile atteint d'un cancer dont le diagnostic est médicalement confirmé peut se prévaloir de ce service sur présentation d'une demande signée par le médecin ou une infirmière autorisée. Les articles disponibles comprennent piqués pour incontinence, serviettes sanitaires, pansements, tiges montées, sacs à gavage, compresses de gaz, diachylon, etc.

PERRUQUES

Dans plusieurs sections de la Société, les bénévoles ont constitué une banque de perruques qui sont prêtées pour la durée du traitement ou même davantage, selon les besoins. Certaines prêtent également des turbans.

PROTHÈSES MAMMAIRES

Dans le but d'aider les personnes nouvellement mammectomisées avant l'achat d'une prothèse permanente, les bénévoles du programme *Toujours femme* disposent d'une réserve de prothèses dites temporaires qui sont prêtées aux femmes qui en font la demande.

SERVICES D'ACCESSOIRES POUR LES PERSONNES COLOSTOMISÉES

Les personnes qui subissent une colostomie temporaire peuvent obtenir gratuitement de la Société les appareils collecteurs nécessités par leur traitement.

SERVICES D'ACCESSOIRES POUR LES
PERSONNES LARYNGECTOMISÉES
À sa sortie de l'hôpital, chaque personne
nouvellement laryngectomisée reçoit de
la Société un nécessaire de soins. La
Société offre également sur demande
des filtres respiratoires et des piles, sur
présentation par les utilisateurs
d'électrolarynx d'une fiche ad hoc
contresignée par leur médecin

TRANSPORT
La Société apporte une aide financière
aux personnes à faible revenu qui
doivent se rendre à un centre de
traitement.

Les publications
La Société canadienne du cancer met à
la disposition des personnes atteintes,
de leur famille et du grand public du
matériel d'information de même que
des dépliants, brochures, affiches,
trousses et autres. Elle a également
constitué une intéressante liste
d'ouvrages pour petits et grands, dont
certains sont distribués gratuitement
par Leucan et par Santé Canada. On
peut se procurer cette bibliographie en
communiquant avec le Service
d'information de la Société.

Les services à la communauté
La Société distribue de l'information sur
les services à la communauté pouvant
être utiles aux clients. Pour connaître
les services à la communauté offerts
dans une région donnée, on peut
consulter la liste des bureaux régionaux
ci-après ou encore communiquer avec
l'une des sections locales ou avec le
Service d'information sur le cancer de
la Société. On aura également tout
intérêt à visiter son site Internet.
Voici la liste des rubriques citées :

- Accompagnement psychologique et affectif
- Aide financière
- Appareils et autres
- Art thérapie
- Deuil
- Écoute téléphonique
- Femmes
- Fondation canadienne rêve d'enfants
- Garde d'enfants
- Hébergement
- Jumelage avec un ou une bénévole ayant vécu l'expérience du cancer
- Maintien à domicile
- Médecines parallèles
- Pastorale et spiritualité
- Regroupement de services
- Repas
- Soins palliatifs
- Transport

**Les bureaux régionaux de
la Société canadienne du cancer,
Division du Québec**
Tous les bureaux régionaux de la
Société canadienne du cancer, Division
du Québec, offrent aux personnes
atteintes d'un cancer les services
suivants : documentation, information
sur le cancer, aide financière,
accessoires et matériel, pansements,
perruques, prothèses mammaires
temporaires.

Bureau divisionnaire
5151, boul. de l'Assomption
Montréal (Qc)
H1T 4A9
(514) 255-5151

Abitibi-Témiscamingue/Jamésie
138, ave Murdoch, bureau 215
Rouyn-Noranda (Qc)
J9X 1E1
(819) 762-6707

Bas-Saint-Laurent/Gaspésie
189, rue de la Cathédrale, C.P. 996
Rimouski (Qc)
G5L 7E1

Drummondville/Bois-Francs
207-A, rue Dorion
Drummondville (Qc)
J2C 1T8
(819) 478-3261

Estrie
3330, rue King Ouest, bureau 130
Sherbrooke (Qc)
J1L 1C9
(819) 562-8869

Laurentides
50, rue Legault
Saint-Jérôme (Qc)
J7Z 2B8
(450) 436-2691

Laval/Basses-Laurentides/Lanaudière
323, boul. Saint-Martin Ouest
Laval (Qc)
H7M 1Y7
(450) 663-2628

Mauricie
1322, rue Sainte-Julie
Trois-Rivières (Qc)
G9A 1Y6
(819) 374-6744

Montréal (Siège social)
5151, boul. de l'Assomption
Montréal (Qc)
H1T 4A9
(514) 255-5151

Outaouais
266, boul. Saint-Joseph
Hull (Qc)
G1S 1S2
(819) 777-4428

Québec/Chaudière/Appalaches
489, boul. René-Lévesque Ouest
Québec (Qc)
G1S 1S2
(418) 683-8666

Richelieu/Yamaska
1225, des Cascades, bureau 112
Saint-Hyacinthe (Qc)
J2S 3H2
(450) 773-1003

Rive-Sud
460, de Normandie, bureau 119
Longueuil (Qc)
J4H 3P4
(450) 442-9430

Saguenay/Lac-Saint-Jean/
Chibougamau/Chapais/Côte-Nord
416, rue Racine, C.P. 573
Chicoutimi (Qc)
G7H 5C8
(418) 543-2222

Sud-Ouest
35-B, boul. d'Anjou
Châteauguay (Qc)
J6J 2P7
(450) 692-5110

**Les bureaux provinciaux de
la Société canadienne du cancer**
Division de l'Alberta/T.N.-O.
2424, 4th Street, Suite 200
Calgary (Alberta)
T2S 2T4
Tél. : (403) 228-4487
Téléc. (403) 228-4506

Division de la Colombie-Britannique/Yukon
565 West 10th Street
Vancouver (C.-B.)
V5Z 4J4
Tél. : (604) 872-4400
Téléc. : (604) 879-4533

Division de l'Île du Prince Édouard
1 Rochford Street, Suite 1
Charlottetown (Î.P.É.)
C1A 3T1
Tél. : (902) 566-4007
Téléc. : (902) 628-8281

Division du Manitoba
193 Sherbrooke Street
Winnipeg (Manitoba)
R3C 2B7
Tél. : (204) 774-7483
Téléc. : (204) 774-7500

Division du Nouveau-Brunswick
133, rue Prince-William, C.P. 2089
Saint-Jean (N.-B.)
E2L 3T5
Tél. : (506) 634-6272
Téléc. : (506) 634-3808

Division de Nouvelle-Écosse
5826 South Street, Suite 1
Halifax (N.-É.)
B3H 1S6
Tél. : (902) 423-6183
Téléc. : (902) 429-6563

Division de l'Ontario
1639 Yonge Street
Toronto (Ontario)
M4T 2W6
Tél. : (416) 488-5400
Téléc. : (416) 488-2872

Division de la Saskatchewan
1870 Albert Street, Suite 340
Regina (Saskatchewan)
S4P 4B7
Tél. : (306) 757-4260
Téléc. : (306) 569-2133

Division de Terre-Neuve
1 Crosbie Place, Crosbie Building
2e étage
Crosbie Road

St.John's (Terre-Neuve)
A1B 3Y8
Tél. : (709) 753-6520
Téléc. (709) 753-9314

Les groupes d'entraide
À moins d'indication contraire, les coordonnées sont celles des bureaux régionaux indiquées plus haut.

Bas-Saint-Laurent/Gaspésie
Groupe d'entraide pour le territoire compris entre Nouvelle et Port-Daniel ; rencontres mensuelles : 549, rue Perron, Maria, G0C 1Y0. (418) 759-5050.

Drummondville/Bois-Francs
Groupe d'entraide Espoir ; rencontres mensuelles pour les personnes atteintes et les familles.

Estrie
Groupe de soutien pour la région de Thetford Mines ; rencontres mensuelles. Café-rencontres ; réunions axées sur le soutien affectif pour les femmes atteintes et pour les proches (rencontres distinctes).
Solidarité-cancer ; rencontres mensuelles sur un thème choisi par le groupe ; lorsque le nombre de participants le justifie, des sous-groupes sont formés, l'un pour les personnes atteintes et le second pour les proches : 17, rue Notre-Dame Sud, Thetford-Mines, G6G 1J1. (418) 338-3511.

Laurentides
Centre communautaire bénévole Matawinie ; formation de groupes d'entraide : 562, rue de l'Église, Chertsey, J0K 3K0. (450) 882-1089.
ccbm@megacom.net.
www.cam.org/ccbm.
Les Rencontres Oasis St-Jovite inc. ; rencontres hebdomadaires pour les

personnes atteintes et mensuelles pour les proches, les accompagnateurs et le grand public : CLSC des Trois Vallées, 352, rue Léonard, Saint-Jovite, J0T 2H0. (819) 425-3771.

Laval/Basses-Laurentides/Lanaudière
Groupe d'entraide au niveau de la santé sur les implants mammaires (Laval) : (450) 472-0549 ou (450) 967-0947. Réseau des aidants naturels de D'Autray ; pour les personnes atteintes et leurs proches : café-rencontres et rencontres avec des personnes-ressources deux fois par mois : 180, rue Champlain, C.P. 1166, Berthierville, J0K 1A0. (450) 836-0711.

Mauricie
Groupe d'entraide Corps à cœur ; s'adresse aux femmes ; six rencontres bimensuelles.

Montréal
Café-rencontres : rencontres hebdomadaires pour les personnes atteintes et pour leurs proches. Leucan (pour les membres uniquement) : 1. « Cœur d'espoir » ; s'adresse aux adolescents (12-18 ans) atteints de cancer et à leurs frères et sœurs. Rencontres, échanges et activités diverses. 2. « Parents endeuillés » ; rencontres mensuelles pour les parents en deuil d'un enfant décédé d'un cancer. 3045, chemin de la Côte-Sainte-Catherine, Montréal, H3T 1C4. 1 800 361-9643 ou (514) 731-3696. Organisation montréalaise pour les personnes atteintes de cancer ; rencontres hebdomadaires pour les personnes atteintes et leurs proches : 7925, ave Louis-Hébert, Montréal, H2E 2Y3. (514) 729-8833. http://vitrine-sur-montreal.qc.ca/carrefour/reseau.

Outaouais
Entraide cancer : rencontres mensuelles distinctes pour les personnes atteintes et pour leurs proches. 563, rue Dubois, Gatineau, J8P 3X9. (819) 920-0808.

Québec/Chaudière/Appalaches
Groupe d'entraide pour les personnes touchées par le cancer ; sessions de huit rencontres.
Centrespoir, groupe de partage : 7260, boul. Cloutier, Charlesbourg, G1H 3E8. (418) 623-7783.
Solidarité deuil d'enfant ; rencontres mensuelles : C.P. 9309, Sainte-Foy, G1V 4B5. (418) 523-9999.

Richelieu-Yamaska
Groupe de soutien pour les endeuillés ; série de neuf rencontres : 1668, Montarville, C.P. 30, Saint-Bruno, J3V 4P8. (450) 653-6319, poste 21. Soutien affectif, Hôpital du Haut-Richelieu : 920, boul. du Séminaire Nord, clinique externe d'oncologie, local 10, Saint-Jean-sur-Richelieu, J3A 1B7. (450) 359-5157.

*Saguenay/Lac-Saint-Jean/
Chibougamau/Chapais/Côte-Nord*
Groupe de soutien pour les hommes atteints ; réunions mensuelles ou au besoin.

Nouveau-Brunswick
Réunions mensuelles à Moncton et à Saint-Jean.

Les groupes de soutien pour les hommes atteints d'un cancer de la prostate
À moins d'indication contraire, les coordonnées sont celles des bureaux régionaux indiqués plus haut.

Bas-Saint-Laurent/Gaspésie: 189, rue de la Cathédrale, C.P. 996, Rimouski, G5L 7E1.

Estrie: 1200, rue King Est, Sherbrooke, J1G 1E4. (819) 563-2572.

Laurentides: 50, rue Legault, Saint-Jérôme, J7Z 2B8. (450) 436-2691.

Laval/Basses-Laurentides/Lanaudière: 323, boul. Saint-Martin Ouest, Laval, H7M 1Y7. (450) 663-2628.

Outaouais: 266, boul. Saint-Joseph, Hull, G1S 1S2. (819) 777-4428.

Québec/Chaudière/Appalaches: 2625, chemin Sainte-Foy, bureau 103, Québec, G1S 2P7. 1 800 363-0063 ou (418) 657-5334.

Richelieu/Yamaska: 1225, des Cascades, bureau 112, Saint-Hyacinthe, J2S 3H2. (450) 773-1003.

Saguenay/Lac-Saint-Jean/ Chibougamau/Chapais/Côte-Nord: 416, rue Racine, C.P. 573, Chicoutimi, G7H 5C8. (418) 543-2222.

Sud-Ouest: 35-B, boul. d'Anjou, Châteauguay, J6J 2P7. (450) 692-5110.

Les associations spécialisées (type de cancer)
À moins d'indication contraire, les coordonnées sont celles des bureaux régionaux indiquées plus haut.

Abitibi-Témiscamingue/Jamésie: Association des stomisés de l'Abitibi-Témiscamingue, 505, 3ᵉ rue Est, La Sarre, J9Z 2K1.

Drummondville/Bois-Francs: Association des laryngectomisés de la Mauricie, 18, ave des Lilas, Victoriaville, G6P 2B2. (819) 758-7484. (Visites de bénévoles à l'hôpital et à domicile; remise de matériel de soins et de documentation; possibilité d'acheter des bavettes pour protéger la trachéo de l'eau pendant la douche.)

Mauricie: Association des stomisés de la Mauricie, 1361, 9e rue, Trois-Rivières, G8Y 2Z2. (819) 374-1257.

Montréal: Association d'iléostomie et de colostomie de Montréal, (514) 255-3041. (S'adresse également aux personnes ayant subi une urostomie). Association des laryngectomisés de Montréal, 5565, rue Sherbrooke Est, Montréal, H1N 1A2. (514) 259-5113. (Rencontres mensuelles.) Association québécoise du lymphœdème, Hôpital Royal Victoria, 687 ave. des Pins ouest, Montréal, H3A 1A1. (514) 979-2463. (Rencontres mensuelles.)

Outaouais: Association des stomisés de l'Outaouais, 1100, boul. Maloney, C.P. 82059, Gatineau, J8T 8B6.

Québec/Chaudière/Appalaches: Association des stomisés du Grand-Portage, 3, rue des Épinettes, Rivière-du-Loup, G5R 1K3.

Les programmes
Tous les bureaux régionaux de la Société canadienne du cancer, Division du Québec, offrent aux personnes atteintes d'un cancer les programmes *Surmonter le cancer* et *Toujours femme*. Le programme *Belle... et bien dans sa peau* est également offert par les bureaux des régions

Drummondville/Bois-Francs et Outaouais (909, boul. de la Vérendrye Ouest, C.P. 2000, Gatineau, J8T 7H2. (819) 561-8255), tandis que celui des Laurentides diffuse le programme *Air Pur* parmi les gestionnaires et les décideurs.

LEUCAN — BUREAUX RÉGIONAUX

Étant donné l'importance de cet organisme pour les enfants vivant avec la leucémie ou une autre forme de cancer et pour leur famille, nous avons jugé bon de fournir les adresses de ses bureaux régionaux.

Leucan, siège social
3045, chemin de la Côte-Sainte-Catherine
Montréal (Qc) H3T 1C4
Tél.: (514) 731-3696 ou 1 800 361-9643
Téléc.: (514) 731-2667
http://hemato-onco.justine.
umontreal.ca/LEUCAN6.ht

Leucan Bas-Saint-Laurent/Gaspésie
363, de la Cathédrale
Rimouski (Qc) G5L 5K6
Boîte vocale: (418) 721-2002

Leucan Estrie
C.P. 753
Sherbrooke (Qc) J1H 5K7
Boîte vocale: (819) 846-1776

Leucan Laurentides
19, Blainville Ouest, C.P. 98519
Sainte-Thérèse (Qc) J7E 5R9

Leucan Montérégie-Est
C.P. 14
Bromont (Qc) J2L 1A9
Boîte vocale: (450) 378-5509

Leucan Québec
2950-A, boul. Laurier
· Sainte-Foy (Qc) G1C 2M4
(418) 654-2136

Leucan Saguenay/Lac-Saint-Jean
C.P. 50
Chicoutimi (Qc) G7H 5B5
Boîte vocale: (418) 541-1234, poste 4932

LA FONDATION QUÉBÉCOISE DU CANCER

Siège social
2625, chemin Sainte-Foy
Québec (Qc) G1V 1T8
Tél.: (418) 657-5334 ou 1 800 363-0063
Courriel: webmestre@fqc.qc.ca

Région de Montréal
2075, rue de Champlain
Montréal (Qc) H2L 2T1
Tél.: (514) 527-2194 ou 1 877 336-4443
Téléc.: (514) 527-1943
Courriel: cancerquebec.mtl@fqc.qc.ca

Région de Québec
190 rue Dorchester Sud, bureau 50
Québec (Qc) G1K 5Y9
Tél.: (418) 657-5334 ou 1 800 363-0063
Téléc.: (418) 657-5921
Courriel: cancerquebec.que@fqc.qc.ca

Région de l'Estrie
3001, 12e Avenue Nord
Fleurimont (Qc) J1H 5N4
Tél.: (819) 822-2125
Téléc.: (819) 822-1392
Courriel: cancerquebec.she@fqc.qc.ca

Région de l'Outaouais
576, boul. de l'Hôpital, bureau 3
Gatineau (Qc) J8V 2S9
Tél.: (819) 561-2262
Téléc.: (819) 561-1727
Courriel: cancerquebec.gat@fqc.qc.ca

Information
La Fondation québécoise du cancer a mis sur pied un service gratuit de renseignements téléphonique, INFO-CANCER (1 800 363-0063). Dirigé par

des professionnels de la santé, ce service bilingue permet à la population d'obtenir confidentiellement des renseignements sur tous les aspects du cancer. On peut y obtenir des informations sur les causes du cancer, les symptômes, les signes précurseurs, les traitements et leurs effets secondaires ainsi que sur les ressources disponibles dans toutes les régions du Québec. Le service est offert du lundi au vendredi, de 9 h à 17 h.

Soutien

La Fondation québécoise du cancer offre un service téléphonique d'écoute active, TÉLÉ-CANCER (1 800 363-0063), qui permet le jumelage d'une personne atteinte avec une personne bénévole ayant déjà vécu le même type de cancer. Les personnes peuvent en toute confidentialité partager des expériences, discuter de l'impact de leur maladie, sur leur vie, leur famille, leur travail, etc. Ce service est gratuit, bilingue et accessible de partout au Québec.

Documentation

La Fondation québécoise du cancer possède un centre de documentation où livres et vidéos sont disponibles pour consultation sur place ou sous forme de prêt ; on peut également les emprunter par la poste. Ce centre possède un inventaire exhaustif de documents sur le cancer en français et en anglais. Il est ouvert du lundi au vendredi, de 9 h à 17 h. Ses coordonnées sont les suivantes :

190, rue Dorchester Sud, bureau 50
Québec (Qc) G1K 5Y9
Tél. : (418) 657-5334 ou 1 800 363-0063
Téléc. : (418) 657-5921
Courriel : cancerquebec.que@fqc.qc.ca
Site Internet : http://www.fqc.qc.ca

On peut également se procurer auprès du centre de documentation les documents publiés par la Fondation, dont voici quelques titres :
Autoexamen des seins et des testicules
Bien manger pour mieux vivre
Ce que vous devez savoir sur la prévention du cancer
Ce qu'il faut savoir sur la chimiothérapie
Ce qu'il faut savoir sur la radiothérapie
Legs et dons planifiés
Conseils pratiques sur la façon dont les patients peuvent gérer la fatigue
La cellule (bulletin d'information de la FQC)
Le cancer... le connaître, le prévenir
Le cancer colorectal : Pour mieux comprendre la maladie
Qu'est-ce qu'un essai clinique?
Roulette-santé
Service d'hébergement (les hôtelleries de la Fondation québécoise du cancer)
Soleil et soins de la peau, ce qu'il faut savoir

Hébergement

La Fondation québécoise du cancer possède trois hôtelleries. Les personnes atteintes de cancer, qui sont sous investigation ou suivent des traitements de radiothérapie, peuvent y séjourner lorsqu'elles habitent loin des centres de traitement.

Hôtellerie de Montréal
2075, rue de Champlain
Montréal (Qc) H2L 2T1
(514) 527-2194

Hôtellerie de l'Estrie
3001, 12e Avenue Nord
Fleurimont (Qc) J1H 5N4
(819) 822-2125

Hôtellerie de l'Outaouais
576, boul. de l'Hôpital, app. 3
Gatineau (Qc) J8V 2S9
(819) 561-2262

BIBLIOGRAPHIE

ADAMS, Patch, *Quand l'humour se fait médecin*, Stanké, Montréal, 2000.

COUSINS, Norman, *La biologie de l'espoir: le rôle du moral dans la guérison*, Seuil, Paris, 1991.

COUSINS, Norman, *La volonté de guérir*, Seuil, Paris, 1981.

DAVIS KASL, Charlotte, *Danser avec la vie: 101 jours pour retrouver la joie de vivre*, Dangles, St-Jean-de-Braye, 1999.

INDEX